Paris
porte à porte

DU MÊME AUTEUR

Monsieur 7, Julliard, 1960.

Pierre Cautrat

Paris porte à porte

Le Dilettante
11, rue Barrault
Paris 13e

La première édition de *Paris, porte à porte* a paru en 1957 aux Éditions René Julliard.

ISBN 2-905344-93-8.

Ces Fils d'araignée
Brillent dans le soleil.
Araignée, acrobate velue,
Semblable à l'homme défiant la mort.
Homme tu t'accroches à la vie
En disant : « Quel enfer... »
Mais tu pleures la vie en la quittant.
Tu as des fils, tout comme l'araignée,
Mais ils sont invisibles
Même au soleil.
Rien n'est impossible
Lorsque le besoin de vivre est là !

DENISE GERVAIS *(Vie ou Mort).*

Obsession des portes. Portes des usines ! Portes des ateliers ! Portes des magasins, des immeubles, des logements ! Portes des bars, des cafés, des restaurants ! Portes des églises, des sacristies, des presbytères ! Portes des bureaux, des ministères, des administrations ! Combien en ai-je franchi en vingt-six mois, talonné par la recherche de ma pitance ? Combien ? Combien en ai-je ouvert et fermé, poussé et repoussé, de ces portes, de ces portails, de ces tambours, de ces grilles, de ces battants, de ces portillons, de ces barrières ? Où cela m'a-t-il conduit, ces milliers, ces dizaines de milliers de portes passées et repassées ? Nulle part.

Ça arrive d'être un jour perdu dans la grande ville, perdu dans Paris. Il faut parfois bien peu de choses pour sombrer ; une erreur d'estimation, une fausse manœuvre, et on coule. Il aurait peut-être suffi de prononcer une parole qui parût imprononçable, de faire un geste qui parût infaisable, d'oublier quelqu'un qui parût inoubliable pour arrêter la lente, puissante et inexorable mécanique qui vous a happé et vous entraîne. Mais la parole n'a pas été dite ou elle a été dite trop tard ; le geste n'a pas été fait ou il a été mal fait ; l'oubli n'est pas venu et dès lors tout s'enchaîne merveilleusement bien, irrémédiablement bien. Un jour on se retrouve dans Paris seul, sans argent, sans toit, sans travail, plus démuni que le plus démuni, plus pauvre que le plus pauvre, plus seul que le plus seul. Il ne reste qu'à pousser les portes, à fouiner et fureter à la recherche d'argent et de travail.

Mais écoute, frère malheureux, qui te trouves sur le pavé à Paris, ne désespère pas. La capitale est une jungle grouillante d'objets à vendre, fourmillante de « porte à porte ». Pour peu que tu sois tenace, bon marcheur, escaladeur intrépide, bavard et disert, tu ne mourras pas de faim. Fie-toi à moi. Je connais la question. J'ai eu recours pendant vingt-six mois à toutes les représentations et ventes imaginables. Écoute...

Pour moi, tout a commencé par les savonnettes. Ma planche de salut fut une annonce demandant des « Messieurs pour vente facile. Gains immédiats ». Le lendemain, je travaillais. Il s'agissait de vendre en porte à porte des savonnettes fabriquées par des aveugles. Je fus affecté à une équipe qui ratissait l'avenue Jean-Jaurès, immeuble par immeuble, logement par logement. Par voie d'affichage et distribution de prospectus, nous annoncions le « passage du délégué ». Ce fut dans cette avenue que j'appris les rudiments de diplomatie à déployer vis-à-vis des concierges pour conquérir de haute lutte le droit de monter dans « les étages ». Il fallait surprendre nos clients au gîte, à l'heure où les fauves se repaissent, et placer nos boîtes de savonnettes en brandissant l'étendard de la « bonne œuvre ». La vente était relativement aisée parce que la marque fort connue et, de notoriété publique, c'était une des rares affaires du genre ne frisant pas l'escroquerie. Mais le travail était tuant. Se traîner pendant des heures d'immeuble en immeuble, se hisser d'étage en étage au sommet des édifices, porteur de cartons de savonnettes d'une vingtaine de kilos, bonimenter à perdre haleine, tout cela requérait une endurance d'athlète.

Et ces bizarreries des concierges, farouches gardiennes des immeubles investis !

Nous « punaisions » dans les couloirs d'entrée une affiche rappelant l'œuvre intéressée et annonçant le passage proche du vendeur. Or, un jour, ayant pénétré dans une bâtisse croulante, toute de guingois et lépreuse à souhait, la concierge me recommanda de ne pas fixer mon affiche avec des punaises, mais de la coller. J'étais fort étonné mais aussi dans l'impossibilité de satisfaire ces étranges desiderata ; j'avais tout prévu sauf de me baguenauder avec un pot de colle. Mais pourquoi cette interdiction des punaises ? La réponse vint, simple, précise : « On voit bien que vous ne connaissez pas le propriétaire ! I veut pas qu'on fasse des trous dans le mur ! » Ce fut une des choses les plus stupéfiantes qu'il m'ait été donné d'ouïr dans la bouche d'une concierge, et Dieu sait si j'en ai entendu ! Quoi ! Ce mur fendillé, éclaté, pisseux, pustuleux, boursouflé, noir de crasse, immonde, zébré de tuyaux, farci de compteurs, était intouchable ! Quatre pointes de punaises le dépareraient à jamais ! Mais la concierge poursuivait, imperturbable : « I veut pas, j'vous dis ! Si I voit des punaises, I vous arrachera votre affiche. I veut pas qu'on fasse des trous dans le mur. Les réparations sont trop chères ; et, avec les loyers actuels, on n'arrive pas ! » Je croyais rêver. Se fût-il agi d'enfoncer des clous de charpentier dans les lambris de chêne d'un château classé, que son gardien, devant mes prétentions, eût été moins outré que ma pipelette.

Après une semaine, éreinté, les épaules démises, ayant « vécu » et me trouvant à la tête de quatre mille francs, j'abandonnai le savon pour me consacrer à un article qui me parut infiniment plus attrayant : la brosserie.

C'est un coéquipier qui me donna le tuyau et l'adresse. La technique de vente était différente. Il s'agissait de prendre un chargement de brosserie, de le payer cash et d'aller le vendre où l'inspiration vous poussait. Commerçants et particuliers. Pas de secteurs ! Complète liberté de manœuvre. C'était, paraît-il, des articles fabriqués également par des aveugles. Ma nouvelle patronne m'admit avec joie comme courtier et m'assura que je pourrais gagner au moins cinq mille francs par jour en travaillant « bien ». C'était plus que je n'en désirais pour l'instant. Elle bourra la valise dont je m'étais muni d'une incroyable diversité de brosses et d'articles annexes. Balais, lave-ponts, brosses à habits, à cheveux, à dents, à ongles, à vaisselle, brosses à récurer, à cirer, à reluire, le tout en crin, en soie, en nylon, en coco, en poils de toute nature ; des boîtes de cire, de cirage, des pâtes à fourneau complétaient avec bonheur ma collection. Comme il fallait payer cash la marchandise, je me délestai de la totalité de l'argent gagné à la sueur des savonnettes. Je me retrouvais riche de brosses et de balais mais sans un franc ; on me remit une liste de prix, mais j'étais absolument incapable de distinguer dans ce tarif les divers articles, tant les appellations techniques étaient nouvelles pour moi, tant j'étais noyé dans ce foisonnement de poils, de crins et de plumes. Et, muni d'une vague carte d'une association d'aveugles, je partis avec mes richesses.

En principe, je devais vendre au double du prix d'achat, « faire la culbute », mais comment m'y reconnaître dans cette damnée liste ? Une seule chose importait : il fallait à tout prix – c'était le cas de le dire – vendre ma camelote, puisque j'avais eu le front d'investir la totalité de mon capital dans ce nouveau commerce.

Je déambulai longuement avec ma valise, m'appesantissant sur le sort bizarre qui me contraignait à travailler « pour les aveugles ». J'avais un trac fou. À la lettre, je n'osais entrer nulle part, ne sachant comment m'y prendre, ne « sentant » pas mes balais. Puis, subitement, je pénétrai dans une poissonnerie aux carrelages ruisselants. La marchande, debout dans ses sabots, était une femme énorme, bardée de tabliers de cuir. (« Grands dieux ! Que lui refiler ? ») J'exhibai ma carte : « Je viens comme *chaque année*, madame, vous soumettre la brosserie fabriquée par les aveugles. Ce sont d'excellents articles vendus à des prix intéressants et en les achetant, vous participez à une bonne œuvre puisque vous permettez à quelques aveugles de gagner dignement leur vie. » (J'étais assez content de mon introduction : ça me paraissait pas mal envoyé.)

Et, là-dessus, j'ouvris ma valise. Un invraisemblable capharnaüm y régnait. Les divers changements de position de mon fonds de commerce avaient si impitoyablement bousculé ma brosserie, qu'il ne restait plus, du rangement précis exécuté par mon fournisseur, qu'un absurde agglomérat de poils et de crins. Une mélasse telle qu'une chatte n'y aurait pas retrouvé ses petits ! J'étais effondré de cette présentation lamentable. Et puis par quoi, par où débuter ? Que proposer ? La poissonnière commença par me répondre qu'elle « n'avait besoin de rien, qu'elle avait ce qu'il lui fallait », mais je n'entendais pas me laisser démonter pour si peu. « On a toujours besoin de quelque chose dans un commerce ou dans un ménage », risquai-je à tout hasard, et j'extirpai de ma bouillie un manche qui en saillait. Au bout de ce manche, il y avait une rondelle de bois hérissée de poils. Je reconnus une « lavette » ; je me lançai dans un concert d'éloges au sujet de ma lavette. Entre autres, « elle évitait de se mouiller les mains en faisant la vaisselle », mais ça, ce devait être le moindre de ses soucis à ma poissonnière de s'asperger les doigts en récurant ses assiettes ! Elle m'opposait des résistances vagues et molles : « J'dis pas, mais j'aime pas le nylon. » Je me fis tant et si bien le chantre de cette fibre que finalement mon équarrisseuse de cabillaud flancha et me demanda le prix. Comme je n'en avais pas l'ombre d'une idée, je gagnai du temps : « Je devais consulter mon tarif. Les prix avaient changé. » Pour qu'elle n'imaginât pas qu'il y eût une hausse, j'ajoutai : « Il y a une baisse. » La lavette nylon repérée sur ma liste, j'annonçai deux cents francs. Cela passa. Je réussis encore à lui fourguer miraculeusement un lave-pont et une boîte de cire. Le tout pour huit cents francs. Cela me donna des ailes. Je m'envolai « dans les étages » de l'immeuble. Je sonnais au petit bonheur. Des femmes ahuries et méfiantes ouvraient, « n'avaient besoin de rien », « donnaient directement à leurs *œuvres* » et me claquaient la porte au nez, ou bien achetaient, à ma stupéfaction, une brosse à dents. Parfois c'était un vieil homme en pantoufles, sourd, qui apparaissait. Il ne comprenait rien à mon monologue. Sa femme n'était pas là. Il fallait que je revienne dans une heure. (C'est ça, j'allais revenir !) Par à-coups, je vendais deux ou trois brosses à habits, une pâte à fourneau, un balai.

Au bout de deux jours, je jonglais avec mon matériel. Le métier était rentré. Mais, Dieu ! que j'en avais assez de mes brosses, de mes cires, de mes balais et de mes œuvres. Je ne résistais plus que difficilement à l'envie de balancer cette valise sur la chaussée, tant j'étais excédé !

Plus je vendais, plus la tâche était ardue, car mon fonds se dépareillait affreusement. Pour rien au monde, je ne l'aurais regarni. Pris dans cette vis sans fin, je n'aurais plus pu dételer de ces maudites brosses.

La plaie dans mon cœur, c'était le balai «pures soies». Je me mordais les doigts de m'en être muni. Sept cent cinquante francs d'immobilisés! Qu'il était beau cependant! Son bois veiné était verni. La partie balayante avait le velouté d'un chat. Pour que mon affaire fût rentable, je devais en tirer au bas mot mille cinq cents francs, mais cette pièce maîtresse me paraissait implaçable à ce prix. Où trouver, dans Paris, l'oiseau rare qui achèterait cette merveille?

Or donc, que je me désespérais de jamais me défaire de mon «pures soies», que je me voyais déjà condamné à en être l'éternel propriétaire, l'oiseau rare se présenta sous les traits d'un humble cordonnier.

Il tenait une misérable échoppe à laquelle on accédait par deux marches descendantes. J'étais entré chez lui à tout hasard, espérant liquider une ou deux de mes dernières brosses de faible prix. L'échoppe était un tohu-bohu peu engageant. Une lumière sale éclairait l'homme qui enfonçait à grands coups de marteau un fer dans une godasse enfilée sur un pied-de-biche. Il s'arrêta de marteler, parut intéressé et me demanda de lui montrer mes balais. Je sortis le dernier en coco. Il eut un air dédaigneux: «Vous n'en avez pas en soies?» Je n'en croyais pas mes oreilles ! Quoi ! Pour balayer cette pouillerie, cet homme rustre envisageait calmement l'achat d'un balai de soies ? C'était inconcevable ! Mais je tenais une chance unique. Je m'y agrippai. Je fis un forcing désespéré. Je jonglai avec mon « pures soies ». L'espoir de m'en défaire m'inspira une verve irrésistible. « Le bois était du chêne, taillé dans la masse, séché et poncé par des *procédés spéciaux*, verni avec un *produit américain*, les soies étaient des soies de porc plus fines, plus souples que les vulgaires soies de sanglier. Le montage était extraordinaire. Hélas ! on ne le voyait pas ! Tout se passait *à l'intérieur*. Mais il y avait un système de cordes, unique en son genre, pour tenir, rassembler, dresser les touffes des soies. C'étaient ces cordes qu'on ne voyait pas, qui faisaient la qualité exceptionnelle de ce balai. Seuls des aveugles pouvaient réaliser pareil tour de force technique, grâce à leur doigté, leur patience. »

Je m'enfiévrais, j'entrais de plain-pied dans les détails de la fabrication des balais, à laquelle je n'entendais strictement rien. Mon cordonnier m'écoutait, médusé de tant de savoir. À la fin, il me ramena prosaïquement sur terre. « Et combien vous l'vendez vot' balai ? » Me maîtrisant – tout allait se jouer : « Quinze cents francs ! » Puis j'eus un trac terrible. Ça ne marcherait jamais. Tout mon édifice allait s'écrouler. Jamais mon bouif n'investirait quinze cents francs dans le balayage de sa boutique. Mais si ! Déjà, il sortait d'un tiroir une liasse de billets de cent francs. Un à un, il les déposa devant moi. Au quatrième, il stoppa. Un vertige me saisit. Avait-il mal entendu mon prix ? Compris quatre cents au lieu de quinze cents ? Non, il s'était arrêté parce qu'un client était entré. Ils discutèrent longuement : « Il faudra aussi vous changer les talons... Pour mardi, ça ira ? » Je restais le cœur battant. Était-ce l'entrée du client qui avait interrompu la giclée de billets ou bien m'étais-je trop vite réjoui ? Le client sortit ; dès lors, les jeux étaient faits. Ou bien mon cordonnier allongerait encore mille cent francs, ou bien la vente allait être annulée sur malentendu de prix. Mais il rouvrit son tiroir et poursuivit la mise. Le pur-sang de mon écurie était vendu !

Enivré par la victoire, je fonçai vers le siège de ma firme. Je fis tant et si bien qu'on me reprit les quelques invendus. Mon fonds était liquidé. Ma carrière de vendeur de brosses était terminée. Je me retrouvais avec deux mille francs et j'avais vécu trois jours de plus.

Le lendemain, je fus attiré par une annonce promettant de « gros gains immédiats à messieurs dynamiques ».

Changement de programme ! Il s'agissait cette fois de vendre en porte à porte des calendriers et diverses images fabriquées – non plus par des aveugles – mais par des « Invalides du Travail ». Il est vraisemblable que jamais invalide ne prit une part quelconque – si ce n'est dans l'imagination du directeur-gérant de l'affaire – à la création de cette imagerie, mais qu'importe ! muni d'une nouvelle carte, couvert cette fois du pavillon des paralysés, manchots et unijambistes, je repris l'escalade de mes étages.

J'invoquais maintenant l'utilité du calendrier, la beauté des images, le talent des invalides et la « bonne œuvre » à accomplir en « faisant un geste » en leur faveur.

De porte en porte, je me permettais « de présenter, *comme chaque année*, le Calendrier des Invalides du Travail... ».

Et ainsi, des journées entières. Une porte sur dix achetait. Je finissais par y croire, à mes *œuvres*. J'entrais insidieusement dans la peau d'une bonne sœur. Devant un refus, j'étais souvent plus offusqué du mépris dans lequel on tenait mon *œuvre* que dépité d'avoir manqué une vente.

J'avais donc, rangé sous la bannière des aveugles, puis sous celle des invalides, pénétré dans des centaines d'immeubles, gravi un nombre incalculable d'étages, dispensant savons, brosses et calendriers. Un jour, j'en eus par-dessus la tête. J'avais l'index douloureux de frapper aux portes et le pouce usé d'enfoncer les boutons de sonnette.

Une nouvelle annonce m'attira. Je m'orientai résolument vers le domaine scientifique. J'entrai dans l'« Infrarouge ».

Le chef de vente me donna quelques notions élémentaires et fit flotter devant mes yeux éblouis des chiffres de commission impressionnants ; il me remit pour tout viatique un tube infrarouge de 1 000 watts, encastré dans un réflecteur en tôle, conçu par on ne sait quel artisan délirant.

Il fallait prospecter la clientèle, faire les démonstrations et... enlever des contrats d'installation. Dans les jours qui suivaient, la maison envoyait un électricien procéder à la pose des tubes. Il se faisait payer cash et les commissions nous étaient versées illico. D'où la sempiternelle annonce qui m'avait attiré : « Engageons encore quelques messieurs bonne présentation, dynamiques, pour article nouveau. Gros gains immédiats. »

Il me fut recommandé de visiter les restaurants, les cafés et les garages du VIe.

Mon tube était heureusement léger ; ma bourse l'était aussi et mes connaissances en infrarouge, plus encore. Mais je partis plein d'allant vers la tâche de chauffer les Parisiens après m'être occupé de leur toilette, de l'entretien de leurs vêtements et parquets et enfin d'égayer leurs murs.

Je pris le métro, lus consciencieusement mes prospectus, descendis à Notre-Dame-des-Champs, revins en surface et avisai un café-bar-restaurant-tabac. Je décidai d'aller me faire la main là, et pas ailleurs.

Le patron rinçait ses verres. Son épouse était en-cagée dans le « tabac ».

– Et pour monsieur, ce sera ?

Je commandai un vin blanc et, tout en le sirotant, je demandai au bistro « si des problèmes particuliers de chauffage se posaient chez lui ».

À vrai dire, il ne s'en posait aucun. Mais j'étais bien décidé à en créer. Je lui expliquai qu'on venait de mettre au point un système de chauffage « absolument révolutionnaire », l'infrarouge, puis me lançai tout de go dans une longue théorie sur le rayonnement, sur la sensibilité du corps humain à certains « trains d'ondes », sur la possibilité d'avoir chaud dans une pièce froide. Je dissertai longuement sur les pièces « où on se tient », et sur celles « où on ne se tient pas », sur les énormes économies de chauffage réalisables immédiatement, etc., etc. Des consommateurs acquiesçaient, prenaient parti. L'un d'eux en avait vu aux Galeries Lafayette et assurait que c'était « champion ». Je citais des références, telle la rue chauffée à Lille. Je déclarai qu'à l'étranger ça avait une vogue extraordinaire. À tout hasard, je nommai Amsterdam où je n'avais jamais mis les pieds et assurai que tous les bâtiments publics – postes, gares, banques – étaient chauffés à l'infrarouge.

J'expliquai à mon couple de bistros que s'il équipait sa terrasse avec nos appareils, en plein hiver et en plein vent, les consommateurs dégusteraient leurs apéritifs en bras de chemise. Cela seul attirerait un monde fou. La discussion devint générale. Quand l'atmosphère fut suffisamment échauffée, ce qui était de circonstance, je proposai une démonstration et sortis mon tube de sa gaine. On l'installa tant bien que mal sur le zinc en le calant avec des verres. J'avais le cœur battant – le plomb allait-il sauter ? Je branchai. Tout le monde se réunit devant mon tube. Rien ne sauta. Lentement, il s'irisa, vira au rouge et devint incandescent. Le *train d'ondes* passait. Nous eûmes vite la face cramoisie par ce rayonnement équatorial. Je triomphai, pérorant comme un beau diable. La bistrote commençait à mordre à mon appât. « Et pour chauffer la salle, cela suffirait ?... » Non, évidemment ça ne suffirait pas. Il en faudrait plusieurs. « Votre salle est très grande. » Elle eut l'air flattée. « On fait vingt-cinq couverts ici. » Le patron me demanda « combien il faudrait de "machins" comme ça pour tout chauffer ». Je répondis que « c'était en fonction de la surface *utile* » et me mis à arpenter la salle en murmurant : « Bon ! Ici, vous avez sept mètres ; là, quatre mètres. En gros, trente mètres carrés. » Je me foutais éperdument de la surface « utile » de son restaurant, mais je calculais que si je pouvais lui en coller pour vingt mille francs, ça me ferait quatre mille francs de commission. Je revins vers le groupe et, désignant différentes zones du plafond :

– Vous devez en mettre un ici, un là, un là et un là. Pour avoir un chauffage rationnel, il faut dans le fond deux tubes de 1 000 watts ; au centre, je vous en collerai un de 2 000 et, au-dessus du bar, un de 1 000.

Comme mes extravagances n'avaient pas l'air de les affoler, j'ajoutai : « Et, à l'entrée, un petit de 500 watts, pour couper l'air froid. » (En fait, j'ignorais si ça *couperait* ou non l'air froid, mais ça augmentait de mille francs ma première évaluation de commission.)

– Et ça me coûterait ?

Je sortis mon tarif.

– Voyons, trois tubes de 1 000, un de 2 000, un de 500. Ça vous fera vingt-quatre mille huit cents, installation comprise. Hein ! Qu'en pensez-vous ? et je vous garantis qu'il pourra geler, il fera bon chez vous ! Le client sera à l'aise.

Mais mon bistro soulevait des difficultés inattendues. « Ça doit drôlement sucer l'compteur, c'truc-là ? » Là, je fus formel. « Ne croyez pas ça. L'un dans l'autre, quinze francs l'heure. » Il parut sceptique. Je me lançai dans une éblouissante démonstration ; je jonglais avec les tarifs dégressifs, le voltage, l'ampérage, les kilowatts. Je les triturais à ma façon et je parvenais toujours à la même conclusion.

– Vous voyez, ça vous reviendra à quatorze francs quatre-vingt-dix l'heure, autrement dit quinze francs ; d'ailleurs, nous avons des *conventions* avec l'E.D.F. On vous fera installer la « force ». Avec la force, ça ne vous reviendra même pas à dix francs l'heure, surtout aux heures creuses.

Chez tous mes prospectés, le scénario était à peu près identique, mais les trésors d'éloquence et de subtilité que je dispensais étaient vains dans l'immense majorité des cas.

On tournait en rond ; on ne concluait pas. « Écoutez, laissez-nous votre adresse. On va un peu réfléchir. On vous écrira, ou bien revenez nous voir quand vous êtes de passage. » Et je sortais, tentant en guise de consolation de me représenter mon couple de cafetiers « réfléchissant » à ses heures creuses, se perdant dans un abîme de réflexions sur mon réflecteur infrarouge.

De temps à autre, je réussissais, au cours de mes déambulades dans le VIe, à vendre un tube de 1 000 watts à une remailleuse pour chauffer sa mansarde, ou à une vendeuse de billets de loterie

« pour la chambre de sa fille qui était sans feu ».

Lorsque j'eus plein le dos de l'infrarouge, sans transition aucune, je sautai à l'autre extrémité du spectre solaire, à l'ultraviolet.

Un artisan du XIIIe en mal d'imagination avait conçu un désodorisateur dont la pièce maîtresse était une petite lampe à rayons ultraviolets. Ce fut également son annonce de « gains immédiats, réglés tous les soirs » qui m'attira. Me désintéressant subitement du chauffage de mes concitoyens, je me mis en devoir d'« assainir leur air ambiant ». Pour ce faire, j'errais dans les rues, porteur de mon désodorisateur et pénétrais au petit bonheur dans des ateliers, des magasins, des remises, des blanchisseries, des cafés, des bureaux. Je parlais d'air vicié par le tabac, d'odeurs de cuisine, de waters, d'atmosphères confinées de chambres de malades. Narines au vent, je flairais tout ce qui était capable de dégager une puanteur quelconque. Mais il me fallait énormément de bonne volonté, tant pour croire moi-même à l'efficacité de mon appareil, que pour faire partager mon enthousiasme simulé.

De l'avis même de mon artisan, il fallait que l'appareil fût branché pendant trois jours au moins pour désodoriser entièrement une pièce ; après quoi, un branchement quotidien de quelques minutes suffisait à entretenir la pureté de l'air. Mais comment faire admettre ce point de vue à mes clients en puissance? Je leur proposais de leur remettre un appareil à l'essai pendant quelques jours: « Vous verrez, vous serez émerveillé! » Personnellement, je ne l'étais guère.

Je me spécialisai rapidement, je ne sais pourquoi, dans les blanchisseries. J'évoquais, dans une odeur de buanderie et de linge sale, l'air pur des montagnes, les senteurs sylvestres, le vent du grand large, mais mes lavandières restaient sourdes à ces exquises évocations. Je citais des références prestigieuses: « Air France, les Wagons-Lits ». Le risque de me voir opposer un démenti était pratiquement inexistant, tant étaient faibles les chances que mes blanchisseuses, constellées de verrues, eussent jamais traversé l'Atlantique en *Super-Constellation* ou l'Europe en sleeping.

Puis l'ultraviolet connut le sort amer de l'infrarouge. Je me désintéressai totalement d'assainir l'air de la capitale et cherchai autre chose.

J'étais toujours sans argent mais j'avais réussi à tenir, jour après jour, depuis bientôt trois mois. Après le désodorisateur, je connus une période de panne sèche qui dura trois jours. Rien à vendre ou à placer. Pas le moindre courtage à me mettre sous la dent.

Dix fois, j'ai traversé Paris de bout en bout, alléché par des annonces tentatrices, mais chaque fois je me cassais le nez sur des « assurances ». Arrivé sur les lieux, un grand concours de peuple était parqué dans une salle d'attente. Le secret – les annonces des assurances sont volontairement imprécises – ne transpirait pas. Le bâtiment était anonyme. L'appariteur, qui faisait remplir une fiche à chaque arrivant, « n'était pas au courant ». Après un temps d'attente variable, un personnage pontifiant recevait par fournée de cinq postulants et tenait à peu près ce langage :

– Messieurs ! Je vous ai convoqués parce que notre Compagnie réorganise de fond en comble sa branche Vie et que nous avons créé dix nouveaux postes d'agents. Nous avons besoin, d'autre part, de former des cadres, des inspecteurs. Par conséquent, les deux meilleurs parmi ceux que j'engagerai aujourd'hui seront nommés inspecteurs d'ici un mois.

Et le speech se poursuivait. Il s'agissait de faire ses preuves, de *produire*, d'apporter des contrats « que vous ferez aisément parmi vos amis, les membres de votre famille, vos relations ».

Et la péroraison arrivait, immanquable :

– Si parmi vous, messieurs, il y a des gens décidés à gagner largement leur vie et à faire leur carrière dans une branche passionnante...

Il était clair que le plus passionnant là-dedans était pour la Compagnie l'espoir de découvrir quelques benêts qui iraient tarabuster leurs familiers, feraient un rapport, le remettraient à un inspecteur, lequel inspecteur irait enlever le contrat. Quant au niais, lassé au bout de huit jours, il ne verrait jamais ses commissions pour avoir rompu prématurément sa carrière d'agent.

Ce recrutement de victimes est si difficile et les méthodes des assurances si connues que les compagnies prennent un soin extrême de ne jamais dévoiler leurs batteries et convoquent toujours les candidats hors de leur siège, dans un bureau fantôme loué pour une matinée ou un après-midi. Mais leurs annonces sont si retorses, les quartiers de réception si inattendus, qu'un vieux routier comme moi tombait encore sinon dans leur rets, du moins dans le piège.

Quand mon dernier billet de cinq cents francs fut entamé, je me sentis aux abois. Il fallait que je vende, que je place n'importe quoi. Il me fallait des rentrées, et immédiates.

Le secours vint sous la forme de... « Moto-secours », « demandant quelques messieurs dynamiques, bonne présentation, élocution facile pour vente aisée. Gros gains assurés ». Je courus vers cette bouée.

Ladite bouée gîtait dans un taudis de la rue

Grange-Batelière. Un astucieux avait transformé une mansarde délabrée en siège social de Moto-secours. Il s'agissait de placer, à cent francs la pièce, dont quarante pour le courtier, des planches en couleurs reproduisant les panneaux de signalisation du code de la route. L'ingénieux directeur-gérant m'expliqua que les fonds ainsi recueillis « servaient à développer notre réseau de motards qui portent secours aux automobilistes accidentés ou tombés en panne ». « Plus nous vendrions de codes, plus nombreuses seraient nos équipes de motards à sillonner les routes de France. »

Conclusion : c'était donc dans l'intérêt primordial des automobilistes de participer à cette croisade. Il était certain que mon astucieux bonhomme tablait avec infiniment de grâce sur la confusion qui ne manquerait pas de se produire avec les équipes réelles de secouristes. Je me le représentais en effet fort mal dirigeant du haut de sa mansarde une meute de saint-bernard motorisés.

Il me remit cent planches et quelques photos où l'on voyait des voitures fracassées sur les débris desquelles se penchait un homme casqué. Une motocyclette de cylindrée impressionnante était adossée à un arbre. C'était convaincant à souhait.

Mon dossier sous le bras, je partis avec le double objectif de gagner de quoi déjeuner et d'apporter ma modeste contribution à l'accroissement du parc de motos de la rue Grange-Batelière. Ma marchandise était vendable. C'était un fait. Mais il fallait terriblement accrocher, tant le cas était spécieux. Je présentais mes photos pour tenter de créer chez mes automobilistes le choc salutaire.

Mon argument de bataille, comme pour les savonnettes, les brosses et les calendriers, était à nouveau « l'œuvre ». Je parvenais à me passionner pour cette motocyclette fantôme, gorgée d'outillage et de médicaments, qui patrouillait, vigilante et secourable, de Paris au Havre, ou de Nîmes à Montpellier. Mais quelle ironie, alors que mon repas était en jeu, alors que j'avais les pieds rabotés de fatigue, de me préoccuper de la détresse possible d'automobilistes inconnus, moi qui tous les jours parcourais pédestrement les kilomètres par dizaines !

Je réussis, en deux semaines, à récolter les quelques milliers de francs nécessaires à me maintenir en vie et à remettre au gérant de Motosecours une somme telle qu'il put sérieusement envisager l'achat du rétroviseur de sa première moto.

Puis, estimant suffisante ma participation à l'accroissement du parc, j'envoyai la motocyclette, les planches et les photos par-dessus les moulins.

Dès lors, j'entrai pour trois mois dans une période délirante. Je représentai, je vendis, je plaçai les articles les plus hétéroclites sans pouvoir m'attacher plus de vingt-quatre heures à aucun d'eux.

Il m'arrivait d'être, le matin, représentant d'un appareil antivol (je faisais sauter au visage d'une commerçante blême de peur une cartouche de cheddite) et, l'après-midi, placier en Cocotte-Minute. Le lendemain, je me promenais avec une machine à calculer miniature ; à midi, je la rapportais à sa base pour aller quérir à deux heures une collection de montres à crédit, que je restituais le soir même, ayant échoué totalement dans ma fulgurante carrière d'horloger.

Je n'avais plus un franc ! Des annonces fascinantes m'appelaient : « Impte Sté engage immédiatement messieurs et dames, bonne présentation, sans connaiss. spéc. Formation assurée par cadres compétents, trois cent mille par mois si capables. Se présenter C.V.A.N., 105, rue du Poteau. »

Je fonçais vers la manne du C.V.A.N. Je me cassais la tête pour déchiffrer ce sigle, prometteur d'une telle aubaine. La rue était un passage sordide du XVIIIe. L'immeuble, une bâtisse branlante étayée par d'énormes poutres, eût été, dans tout pays civilisé autre que la France, rasé plutôt que consolidé. Pas de plaque, pas l'ombre d'une indication. Où perchait ce C.V.A.N. et ses trois cents billets mensuels ? Il fallait s'adresser à une concierge hargneuse. « Au troisième à gauche, escalier au fond de la cour. »

Je dus me faufiler dans un amas de ferraille, de

charretons, de vieux sommiers et, péniblement, dans une obscurité totale, me hisser au troisième. À l'aveuglette, je tâtai les murs pour y découvrir une porte, une indication. Je grattai une allumette. Je vis un carton : C.V.A.N. Je frappai et entrai dans un « bureau » effroyablement miteux. Une table en bois blanc. Au mur, une carte de France et un plan de Paris constellés d'épingles de couleurs et zébrés de hachures bleues, vertes et rouges. (Des « secteurs » à n'en pas douter.) Un téléphone, antique et rouillé. Trois ou quatre dossiers traînaient sur la table. Aux côtés du patron à la trogne racée de pithécanthrope, il y avait deux jeunes gens. Les trois personnages ne déparaient pas la magnificence des lieux. Vêtements élimés, cravates à cent francs pêchées à la sauvette dans un parapluie, cols plus que défraîchis.

Le pithécanthrope m'interrogea : « Avez-vous déjà fait du courtage, monsieur ? » Réponse : « Oui ! » (Oh ! que oui, j'en avais fait du courtage !) Puis il m'attaqua d'emblée.

– Monsieur, êtes-vous décidé à gagner largement, très largement votre vie, au sein d'une organisation puissante, d'une équipe dynamique ?

Je fis signe que j'étais décidé. Il reprit, simulant une vague colère :

– Je vous préviens tout de suite que si vous êtes un monsieur se contentant de cinquante ou cent mille francs par mois, même de deux cent mille, *vous ne m'intéressez pas!* Ce que je veux, ce sont des gens ambitieux, décidés à gagner largement, très largement leur vie. Des gens pour lesquels trois cent mille francs représentent un mauvais mois.

Changement de ton :

– Vous avez une voiture ? Eh bien, chez nous, monsieur, vous aurez votre voiture le mois prochain parce qu'elle vous sera nécessaire pour votre travail. Et c'est vous-même qui vous la paierez ! car si vous le voulez – et avec votre présentation, ce sera un jeu – vous aurez gagné cinq cent mille francs.

J'étais abasourdi. Quoi ! je n'avais pas mille francs sur moi et ce diable d'homme allait, en trente jours, en conjuguant ma présentation et sa représentation, faire de moi le propriétaire d'une 4 CV ?

Je questionnai :

– Tout cela me paraît fort alléchant. Mais de quoi s'agit-il au juste ?

– Monsieur, vous êtes ici au siège du Comptoir Vinicole d'Afrique du Nord. Nous avons un pouvoir d'achat énorme et des contrats avec les plus importants colons d'Algérie, pour la diffusion de leurs vins en France. Vous savez que les crus algériens sont réputés ? Souvent supérieurs à ceux de la métropole ?

Je ne le savais pas, mais j'acquiesçai. Puis suivit un long développement sur la vente par équipes, de «lots» de bouteilles en passant au peigne fin des villes entières, rue par rue, maison par maison. Et, enfin, la péroraison :

– En vendant de trois à cinq cents douzaines de bouteilles par mois – et, croyez-le, c'est un jeu – vos commissions atteindront aisément plusieurs centaines de mille francs, en tout cas, un minimum de trois cent mille. Êtes-vous prêt à faire un essai ? Vous serez convaincu.

Puis il me désigna un pauvre type aux nippes usées de fatigue, mal rasé et me le cita en référence :

– M. Dubois, ici présent, qui travaille chez nous depuis trois mois, a fait ces quatre dernières semaines près de quatre cent mille francs de commission. Combien exactement, Dubois ?

Dubois précisa pâlement : «Trois cent quatre-vingt mille.» Le patron triomphait :

– Vous voyez ! Connaissez-vous beaucoup d'employés gagnant trois cent quatre-vingt mille francs par mois ?

À vrai dire, je n'en connaissais guère, mais je soupçonnais fort M. Dubois de ne pas avoir gagné un kopek dans le mois, tant sa mine était lamentable et ses joues creuses.

Tout cela commençait à m'agacer au plus haut

point. Ces gens qui depuis un quart d'heure se gargarisaient avec des pactoles étaient des mythomanes ou se payaient singulièrement ma tête. De toute façon, il fallait en finir. Je dis : « Ça ne m'intéresse pas » et me levai.

Le pithécanthrope bondit sous l'outrage :

– Comment, monsieur ? Vous manquez d'ambition à ce point ? Que gagnez-vous actuellement, pour dédaigner l'offre que je vous fais ?

Je lui répondis froidement : « L'un dans l'autre, je me fais un million par mois. Mais je suis ambitieux. Je cherche autre chose pour améliorer ma situation » et, très digne, je sortis sous les yeux médusés des trois compères que mon standing dut laisser rêveurs...

Donc, ce n'était pas dans les barriques de vin que je puiserais mon pain quotidien !

Six mois avaient passé ainsi quand, du jour au lendemain, je me muai en une sorte d'infirmier ambulant. Un avantage immense au dernier courtage en date: l'extrême légèreté de l'article « laissé sur place ». Article au demeurant absolument inédit pour moi: le bandage « Rapid ». Curieux, ce Rapid! Un rouleau de latex revêtu d'une bande de gaze; un mode d'emploi et le tout enfourné dans une boîte de carton frappée d'évocatrices croix rouges. Les croix encadraient le nom du « laboratoire ».

Le laboratoire Rapid tenait ses assises dans une cuisine où le fabricant, aidé par sa fille, découpait le latex et la gaze, en faisait des rouleaux et les conditionnait. Inutile de préciser que le père et la fille, ennemis d'une mécanisation à outrance, exécutaient manuellement ces diverses phases de fabrication.

Le Rapid ne collait pas à la peau mais, par une propriété curieuse du latex que mon artisan appelait l'« auto-adhésion », se soudait sur lui-même.

Cela limitait fort son champ d'application mais permettait de confectionner aisément des doigtiers, à l'exclusion de tout autre pansement.

Puisque le Rapid ne collait pas, il était évidemment indécollable. Cette relation de cause à effet me plut infiniment. Il était impossible que la clientèle, même la plus bornée, ne fût pas sensibilisée par la rigueur de cette dure logique. Je donnai donc mon adhésion au fabricant de pansements auto-adhésifs et commençai sur-le-champ.

Au bout de vingt-quatre heures, j'étais passé maître dans l'art de panser. Armé d'une paire de ciseaux, j'allais à titre de démonstration confectionner sur d'innombrables doigts de ravissants petits capuchons. J'assurais que ces doigtiers étaient inattaquables par la plupart des liquides connus à ce jour et, de surcroît, imperméables à ces mêmes liquides, ce qui était pour le moins sujet à caution.

Au début, tout feu tout flamme, je partis visiter les plus importantes usines, espérant placer des quantités colossales de Rapid, mais je faisais fausse route. Des messieurs importants examinaient, mi-amusés, mi-intrigués, mon pansement mais me certifiaient qu'ils ne faisaient aucun achat de cet ordre. « La Sécurité sociale nous fournit toute la pharmacie », et dans un soupir (on quémandait sans doute mon apitoiement) : « Elle peut d'ailleurs le faire ; on lui paie assez comme ça. »

Je quittai les « Kombinat » et descendis d'un, puis de deux crans dans l'échelle industrielle, mais partout la Sécurité sociale, déchaînée, sévissait. Elle inondait les ateliers de boîtes de secours. Je descendis de quelques crans encore et trouvai enfin un terrain d'entente chez les artisans. Là, ce fut un autre son de cloche : « Je vais vous en prendre six boîtes, mais, entre nous, vous ne trouvez pas que la Sécurité sociale devrait nous fournir les pansements ? Avec ce qu'on "lui" paie, elle pourrait bien faire ça ! » J'admettais avec bonne grâce que la Sécurité sociale « pourrait bien faire ça », mais j'étais fort satisfait qu'elle ne le fît point. Il me restait donc l'inépuisable clientèle des petits artisans qui, dédaignée de mon ennemie numéro 1, acceptait que je pourvusse à ses défaillances. Mais il s'en fallait de beaucoup, hélas ! que je fusse reçu partout comme l'ange gardien des blessés du travail. Je m'aperçus rapidement qu'il y avait des produits similaires et surtout que ce trafic durait depuis des années. Mais, en ne renâclant pas à la tâche, je parvenais à liquider une trentaine de boîtes par jour, ce qui assurait mon train de maison quotidien.

Les jours et les mois passaient. Perpétuellement endetté envers mon fournisseur que je réglais « après vente », je persévérais dans l'espoir illusoire de remonter le courant.

Ce pansement avait beau ne pas coller, moi, j'y

étais totalement englué. Je ne pouvais plus m'en dépêtrer. Je vivais le jour entier les ciseaux greffés à la main. J'étais devenu une sorte de figure mythologique : l'homme-ciseaux.

Une demi-année s'était écoulée et j'en étais toujours à couper, triturer et vendre cet innommable latex, dont j'avais la nausée. Ce latex qui me faisait mentir comme un arracheur de dents ; qui « assurait l'aération de la plaie » tout en étant imperméable ; qui « était aseptique » ce dont j'étais fort sceptique ; qui « ne se décollait pas dans l'essence », alors qu'il y fondait comme sucre dans l'eau ; qui « laissait la liberté complète des articulations » bien qu'il comprimât le doigt à vous flanquer la gangrène dans le quart d'heure ; qui « était de conservation indéfinie », alors que dans les trois mois il se racornissait comme une vieille semelle et qui, enfin, « était recommandé par messieurs les médecins », alors que sa seule évocation les eût fait frémir.

Les petits ateliers constituaient donc le fonds de roulement de ma clientèle ; j'ai divagué durant des mois dans les plus incroyables ateliers-taudis de la capitale. Entassés dans les cours et les passages, œuvraient, penchés sur des machines désuètes et branlantes, les petits patrons de Paris.

Porteur de ma serviette bourrée de Rapid, j'errais de « Décolletage » en « Chromage-Nickelage », de « Visserie » en « Ferblanterie ». Je prenais contact avec d'étranges corps de métier : « Cuirs et Peaux ». J'entrais. Des hommes raclaient dans un remugle d'abattoir de sanglantes dépouilles de lapins et de moutons. Je sautais chez un fabricant de chaises. Plus loin, je m'initiais au bricolage des abat-jour et des lustres. Je pénétrais dans des garages déserts et silencieux. Une voix m'appelait, c'était celle du patron, allongé sous une voiture. Je m'approchais, parlais à des pieds qui dépassaient. J'avais le front de leur dire : « Donnez-moi un doigt. » Une main gluante de cambouis sortait. Je m'accroupissais, pour confectionner le célèbre doigtier Rapid. La main disparaissait sous le châssis. Le garagiste examinait sans doute mon travail à la lueur de sa baladeuse. La voix disait : « C'est ma femme qui s'occupe de la pharmacie. Revenez une autre fois. » Ou bien, dans les jours fastes, l'homme intéressé s'extirpait lentement de sa planque, par reptation dorsale. Émerveillé, je voyais peu à peu grandir, puis apparaître in extenso mon blessé fictif. Dès qu'il était à la verticale, je le convainquais et il achetait.

Souvent, je me créais des diversions en m'orientant sur les bouchers. Je sautais d'une boucherie chevaline, frappée au front de l'édifice de la tête dorée d'un fier coursier, dans une bovine enrichie d'une figure de proue de même style mais représentant cette fois, sur sa puissante encolure, le chef paisible d'un ruminant.

Cependant, je n'aimais guère les bouchers. Ces hommes énormes, au visage distendu et cramoisi, à la nuque épaisse, au poitrail de nourrice dilaté sous la blouse tachée de sang, jonglant avec haches et coutelas, m'impressionnaient défavorablement. Je détestais leurs doigts gras, boudinés, gonflés de suc. Sur eux, mes échantillons de démonstration fondaient. La confection d'un doigtier sur l'auriculaire d'un boucher exigeait trois fois plus de métrage que sur le pouce d'un *homo faber* du type courant.

Mais ce n'était pas une clientèle à dédaigner; elle rendait. Surtout les boucheries bovines. Je me demandais souvent pourquoi les chevalines étaient moins rentables. Or, un jour, un hippophage en refusant mes offres me fournit la raison de cette apparente bizarrerie. Elle tenait en ces mots: « Vous savez, *dans* le cheval, on s'coupe pas. C'est une viande longue. *Dans* le bœuf, j'dis pas. Moi, il y a dix-huit ans que j'suis *dans* le cheval, j'me suis jamais coupé. » Et il ajouta: « J'touche du bois ! » Or, tandis que mon mastodonte superstitieux touchait son étal pour conjurer l'esprit de ses coutelas, moi, je tenais enfin l'explication du mystère qui si longtemps m'avait troublé: c'était la « longueur » de la viande du cheval. Elle diminuait considérablement le nombre de blessures. Voilà pourquoi les dépeceurs de canassons étaient moins friands de pansements que leurs confrères bovins.

Quoique ne me représentant pas exactement ce qu'était un cheval « long », cela ne tomba pas dans l'oreille d'un sourd. Je ne me taisais plus, démonté, quand un « bovin » faisait la moue devant mon Rapid, prétextant qu'il ne se coupait jamais. D'un ton suprêmement compétent, je rétorquais : « Franchement, vous m'étonnez ! Vous seriez dans le cheval, je ne dis pas ; c'est une viande longue, c'est normal qu'on ne se coupe pas. Mais dans le bœuf !... Tout de même !... Il y a des limites !... »

Quant aux tripiers tant mâles que femelles, je n'ai jamais réussi de toute ma carrière de bandagiste à me délester dans leur boutique de la plus petite boîte de pansements. Dextérité particulière à cette corporation ? Ou fallait-il également voir là une « longueur » qui, appliquée au foie, à la rate et aux intestins, excluait radicalement toute possibilité de blessures ? Je ne sais.

Quand je m'étais suffisamment enivré de viandes longues et courtes, je mettais le cap sur un lavoir municipal annoncé aux foules par son étendard tricolore en tôle rouillée. Dans des nuages de vapeur, je pansais les lavandières auxquelles j'avais naguère proposé mes désodorisateurs. Parfois on me reconnaissait : « Ce n'est pas vous le monsieur qui... ? » C'était affreusement gênant pour moi que l'on me retrouvât subitement dans une branche si différente. Il était impossible, devant un tel dilettantisme, que l'on me prît au sérieux !

Je reprenais alors mes bons petits ateliers branlants, crasseux, prêts à s'effondrer sur un invraisemblable magma de machines hoquetant à rendre l'âme. Certaines cours, certains passages renfermaient vingt corps de métier totalement différents. Sur cinq cents mètres carrés, je passais d'une « Location de charretons » à un « Bobinage tous moteurs », d'un « Articles de maroquinerie » à une « Réfection de toitures », d'un « Plâtre, Ciment, Plafonnage et Ravalement » à une « Carrosserie automobile », d'un « Achat tous métaux » à un « Perruques et Postiches », d'une « Robinetterie » à un « Charbon tous calibres, en vrac et au détail », d'un « Lits d'enfants » à une S.A.R.L. inclassable, telle « Barthélemy, toutes réparations sur devis ». Que pouvait bien réparer Barthélemy dans son réduit obscur ? et sur quel devis ? Des stylos, des brouettes, des moteurs d'avion ? Non, nul banc d'essai ne le trahissait. Je voulais en avoir le cœur net. J'entrais, en curieux. Barthélemy, dans un chaos de ferraille, soudait. La flamme claire de son chalumeau projetait des lueurs inquiétantes dans son antre de sorcier. Il s'agissait de convaincre ce bon Barthélemy, de lui faire admettre qu'il se blessait en remuant sa ferraille, qu'il se brûlait avec son chalumeau, qu'il s'écrasait les doigts sur son enclume. Rallier Barthélemy aux préceptes d'hygiène, ô tâche insensée !

Je les aimais, mes artisans besogneux. De braves gars, pas compliqués. Ça leur en fichait plein la vue, l'exécution instantanée de mon doigtier. Ils contemplaient leur phalange encapuchonnée, les yeux ronds d'étonnement.

Mais, peu à peu, ma clientèle s'amenuisa. Je ne savais plus où mettre les pieds. Pas une rue, une cour, un passage, une impasse des quartiers artisanaux que je n'eusse explorés, y fouinant comme une truie à la recherche de truffes.

Or, un matin que je sortais du passage des Flandres, je tombai pile sur le canal de La Villette. Dans ses eaux dormantes, une péniche lourde de fret baignait sa panse énorme. Elle était assujettie par des câbles d'acier aux bittes d'amarrage. Son plat-bord arasait le quai. Une illumination me traversa la cervelle : « Si j'essayais les péniches ? »

Mais avait-on le droit de monter à bord ? N'était-ce pas en quelque sorte une violation de domicile ? Pas d'autre façon de le savoir que de tenter – non pas un ballon – mais une péniche d'essai.

Le cœur un peu serré, je me frayai un chemin dans un encombrement de filins, de mâts de charge, de seaux et de sabots. Je parvins à la cabine et frappai à la porte vitrée. Une femme corpulente et rouge apparut. Elle m'écouta, visiblement intéressée, et fut bientôt conquise, quand par l'habituel processus je lui emprisonnai un doigt dans le latex. Ce fut un triomphe ! Elle acheta six boîtes ! Je passai à la péniche amarrée au flanc de la première. Là aussi, je marquai un coup au but. Encouragé, enhardi, je descendis toute la matinée le canal vers la Bastille, sautant avec allégresse de *Clotilde* à *Monique*, du *Paris* à la *Gantoise*, de *Gaston-III* à *Suresnes*. J'étais stupéfait. Je volais de succès en succès. Je venais de découvrir une clientèle vierge, jamais visitée, accueillante, abandonnée de la Sécurité sociale et ne demandant qu'à se blesser. Je tenais une mine d'or flottante.

Dès lors, je passai des semaines et des semaines sur la Seine, sur les canaux, dans les bassins, courant d'une péniche à l'autre. Ma vie s'orienta vers le semi-aquatisme. Par une mutation non prévue par les généticiens, l'« homme-ciseaux » devint amphibie et bientôt extrayait de l'eau la totalité de ses ressources.

J'appris rapidement de la bouche des mariniers les lieux de rassemblement des péniches : pont de Charenton, le Bras Marie, Saint-Denis, Gennevilliers, Conflans-Sainte-Honorine. Je passais mes journées en acrobaties sur les échelles et les plats-bords, en rétablissements d'un bateau à l'autre, à traquer mariniers et marinières dans les tréfonds de leurs cales.

Un des traits les plus passionnants de ma trouvaille était l'incessant renouvellement de ma clientèle. J'essayais d'imaginer ce qu'auraient été les réactions du représentant en alimentation revenant toutes les semaines dans la même rue, et découvrant, à chacun de ses passages, de nouveaux crémiers, de nouveaux épiciers installés là depuis la veille, dans des magasins flambant neufs.

L'enchantement dura des semaines. Mais les plus belles choses ont une fin ! Peu à peu, mes péniches commencèrent à battre de l'aile, ce qui était pour le moins insolite de la part d'engins aussi mal adaptés à la vie aérienne.

Sur mes points de vente du Bassin parisien, la fréquence des péniches déjà pourvues de pansements augmentait à une vitesse inquiétante. Je retombais à Conflans-Sainte-Honorine sur des bateaux visités un mois plus tôt à Auteuil. Je retrouvais évidemment avec fierté *Gai-Luron* ou *Fantasia* équipés de mon latex, mais mon chiffre d'affaires chutait de jour en jour.

J'allais être obligé de me porter vers d'autres centres fluviaux, d'autres garages de péniches, car la facilité de vente m'avait pourri. Après cette vie au grand air, je n'avais plus le courage de me remettre aux ateliers obscurs ni aux sanglantes boucheries.

J'interviewai mes mariniers pour situer des régions inconnues, inexplorées, d'où aucune caravelle n'avait jamais cinglé vers Paris. J'irais traquer les vierges dans les confins !

C'est ainsi que, m'éloignant de plus en plus de ma base, je partis avec des cargaisons de rouleaux vers le Grand Nord. Compiègne, Douai, Cambrai, Lille me virent fondre sur elles ! Je ne rêvais plus qu'écluses, amonts et avals, confluents prestigieux où s'assemblaient les flottilles de toute l'Europe.

Toujours à la recherche de nouveaux débouchés, je sautai la frontière ; j'écumai le canal du Centre à portée de Mons, remontai jusqu'à Charleroi, stationnai à Bruxelles, où j'établis mon P.C. Ayant considérablement étiré mes lignes de communications, ce qui affaiblissait ma position, je me fis expédier par mes fournisseurs un important ravitaillement en rouleaux. Quand je l'eus réceptionné, j'étais prêt à aller porter le fer au cœur même de l'empire des eaux, à Anvers.

Débarqué du train à Antwerpen, je me fis conduire au port – bassin 17 – en taxi. Quand, par une route partie du Steen, je surplombai enfin mon bassin, je restai le souffle coupé. Je découvrais un panorama qui tenait du prodige. Des centaines, des milliers de péniches étaient agglutinées à perte de vue. J'avais à mes pieds un tapis de bateaux. Je m'y vautrai. Le ratissage dura sept jours. Quand je quittai Anvers, j'avais vendu quatorze cents boîtes. Je venais de découvrir dans le grand port belge la plus gigantesque concentration de péniches de l'Histoire.

Cela me vengeait de l'échec subi à Rouen un mois auparavant.

J'avais appris par un de mes indicateurs que près de deux cents péniches se prélassaient, paisibles, dans le port fluvial. Je décidai d'y porter la *Blitzkrieg*. Par un très froid matin de février, je partis avec quatre cents boîtes, résolu à lever un impôt de deux rouleaux par unité. Arrivé à Rouen, je me rendis à pied d'œuvre ; avant le combat naval, il fallait reconnaître le dispositif de bataille de l'ennemi. Je fis mon plan d'attaque et l'étalai sur deux jours. Je me mis donc en quête d'un hôtel. Comme les fonds étaient en hausse et que la dîme s'annonçait substantielle, je choisis un très bel hôtel du quai Corneille. Grand hall de marbre, confort de bon aloi, valetaille respectueuse. De ma fenêtre, je contemplai une dernière fois la vue panoramique des unités. « Dix heures, j'attaque. »

La première péniche vers laquelle je me portai était reliée à la rive par une longue planche oscillante. Je m'y aventurai. Je n'étais pas ivre. Le bateau non plus, mais... *Comme je descendais des*

Fleuves impassibles, je ne me sentis plus guidé... Je fis des moulinets désespérés. Cela me parut interminable. J'eus le temps de réaliser l'horreur de choir tout habillé dans cette Seine glacée. Et, tombant à la renverse, je sombrai. Je fis surface et m'agrippai à une barque providentielle. La première pensée qui me domina fut le prodigieux ridicule de ma situation. Émerger après un plongeon, cravaté, ganté, chaussé, engoncé dans un pardessus, ressortissait à la plus pure clownerie. Mais si le ridicule ne me tua pas, le froid faillit avoir ma peau. J'étais transi, raide, bleu. Heureusement, le marinier que je comptais contacter pédestrement, et non à la nage, vola à mon secours. Je me retrouvai par je ne sais quelle grâce sur sa péniche. Mes vêtements imbibés d'eau étaient d'un poids effrayant. Je ne pouvais plus faire un geste tant j'étais glacé. Ma vivacité de mouvement était comparable à celle d'un scaphandrier de grands fonds se mouvant à terre, enfermé dans son pesant appareil. Toute la famille assemblée procéda à mon déshabillage sur le pont même, pour que mes vêtements n'inondassent pas la cabine. Et c'est pratiquement nu – nu et violet – que je fis mon entrée dans ses appartements flottants.

On me sécha, on me frictionna, on me bouchonna, on me fit boire force rasades d'alcool. Par une bizarrerie de la langue, c'est une fois réchauffé que je repris mon sang-froid. Un problème se posait : vêtir celui qui était nu. Je conclus un *gentleman's agreement* avec mes sauveurs. « Prêtez-moi des vêtements. Dès que les miens auront séché à l'hôtel, je vous rapporterai les vôtres. » Mais la garde-robe de mes mariniers ne recelait pas des trésors.

On me vêtit d'incroyables défroques. Un pantalon roux dont le tour de taille avait été prévu pour un pachyderme, une chemise sans col, la veste « du dimanche » du fils, piquée d'une artistique pochette en dentelle, un imperméable resplendissant de cambouis. Me chausser fut, hélas ! impossible, tant il y avait divergence de pointures entre les souliers présentés et mes pieds. Seuls des sabots, plus tolérants, les acceptèrent. Je n'avais certes pas l'élégance de Brummell, mais que faire sur une péniche, en pareille circonstance, sinon m'habiller avec les moyens du bord ? Un filet à provisions à larges mailles recueillit vêtements, linge et chaussures, spongieux d'un mélange à parties égales d'eau et de mazout. Je remerciai chaudement mes généreux sauveteurs. Nous trinquâmes une dernière fois à mon salut et je quittai le bord.

Pardessus dégoulinant jeté sur le bras, vêtu d'oripeaux, chaussé de sabots et porteur d'un filet distendu pissant comme une outre crevée, laissant derrière moi un sillage d'eau, c'est dans cet équipage que je fis ma rentrée à l'hôtel.

Le groom de faction près de la porte à tambour tendit professionnellement la main pour se saisir de mes « bagages ». Las ! je n'avais nulle valise en peau de porc à lui remettre. Par dignité, je ne pouvais accepter qu'il réceptionnât l'immonde bouillie qui stagnait dans mon filet à provisions. J'avais beau me dérober, mais le groom insistait, se penchait, essayait de s'en saisir au vol. Tel un toréador, je fis de gracieuses *verónicas* avec mon filet, mais le groom, en taureau courageux, fonçait dans le leurre avec obstination. Aucun *aficionado* ne l'acclama, mais tant il était *bravo* que je lui remis ma cape !

Après ces passes tauromachiques, il me restait à accomplir le dernier parcours de mon chemin de croix, c'est-à-dire traverser le hall d'hôtel, *de bout en bout*, jusqu'à l'ascenseur, en *sabots*, suivi de mon bagagiste.

Médusés, les clients, enfouis dans leur fauteuil club, levaient le nez à l'approche de ce pas de cheval de labour faisant sonner ses fers sur les pavés d'une cour de ferme. Sur mon passage, les conversations s'arrêtaient. Moi, incroyant, je faisais des prières muettes : « Mon Dieu, donnez-moi la force d'atteindre l'ascenseur avant que je ne m'écroule brisé de ridicule ! »

Mes prières furent vraisemblablement entendues d'une oreille bienveillante, car je me retrouvai, délivré, dans ma chambre. Je n'en bougeai de vingt-quatre heures, m'y faisant ravitailler. J'attendais avec patience que se déshydratassent par évaporation mes nippes malodorantes.

Le lendemain, je regagnai Paris, les vêtements secs, rétrécis, sales et chiffonnés.

Moi qui avais voulu anéantir par une impitoyable *Blitzkrieg* la flotte rouennaise, je m'étais heurté à une Invincible Armada.

À mon retour de Belgique, pour la première fois depuis un an, je pus souffler un peu. Je rapportais trente mille francs de mon expédition d'au-delà des frontières. Je pouvais déposer temporairement le bât, chercher quelque chose de plus sérieux, de plus durable. C'était d'ailleurs nécessaire, car il fallait donner aux péniches le temps de digérer les rouleaux dont je les avais comblées.

Or, c'est à cette époque de relaxation que je fis fortuitement la connaissance de la directrice de Matrimonia. C'était une femme imposante, intelligente et rouée. Nous étions faits pour nous entendre comme larrons en foire. Cette personne administrait une agence matrimoniale du quartier de l'Opéra. À coups d'annonces, de publicité, elle dirigeait vers ses bureaux deux flots convergents, l'un porteur de jeunes provinciales, de veuves énamourées, de filles de coloniaux, de divorcées, d'esseulées, l'autre bouillonnant de veufs, de timides, d'hommes sans relations ou affligés de complexes. Il fallait filtrer, décanter, analyser, classer par catégories et affinités les richesses amenées par ce flux. Puis projeter dans ce cyclotron matrimonial, protons sur électrons, les brasser, créer de la matière, c'est-à-dire « faire du mariage ».

Une union conclue peut représenter pour une agence une grosse affaire puisqu'elle prélève un pourcentage sur le montant des biens qui s'unissent en même temps que leurs propriétaires. Un accouplement réussi, conclu, entériné à la mairie se traduit en espèces qui viennent sonner haut et clair dans les coffres de l'insémineuse.

Me sachant désœuvré, la directrice me proposa un job de tout repos, un rôle de figurant dans son agence. C'était un travail à temps perdu. J'en avais déjà tellement perdu de temps, que je me sentais spécialiste de cette forme d'activité. J'aurais eu mauvaise grâce à refuser.

J'appris donc, avec un vif intérêt, qu'une agence matrimoniale dispose comme volant de sécurité d'un certain nombre de figurants des deux sexes que l'on jette, en cas de nécessité, en appât à la clientèle pour la tenir en haleine tant qu'on ne peut lui présenter le partenaire idéal. Il serait de mauvais goût de laisser un nouvel adepte plus d'une semaine sans qu'une présentation eût lieu. Or, il peut se faire que l'agence ne puisse trouver rapidement dans son stock une correspondance avec le cas demandé.

C'est alors qu'entrent en scène les figurants. Quoique épisodique, leur rôle n'est pas négligeable. Il comporte d'ailleurs beaucoup plus de « texte » que celui qu'on a accoutumé de leur confier sur scène. En effet, ce rôle est complexe. Il faut que le personnage monté par le figurant corresponde grosso modo aux desiderata du partenaire. Mais il doit se créer un vice rédhibitoire tel, qu'il exclut toute possibilité d'être agréé par la partie adverse.

Le cachet récompensant les prestations était fixé à mille francs, mais pouvait atteindre le double dans les cas difficiles.

Deux jours après avoir été embrigadé dans cette curieuse figuration, je reçus une convocation pour le surlendemain, quinze heures, au siège de Matrimonia. Je m'y rendis en vêtements de ville (sans décoration). La directrice me mit au fait : elle allait me présenter à une veuve de trente ans. Une commerçante en fourrures. Un beau parti. Le fonds de commerce, un appartement et un capital de six millions. La veuve était « pressée ». On n'avait aucun mâle à lui jeter en pâture actuellement. Il fallait que je la tinsse sous pression le temps nécessaire pour l'agence de se retourner, de lui trouver un mari possible. En principe, la dame aux fourrures voulait épouser un monsieur de mon âge, veuf de préférence, sans enfants, profession libérale ou commerçant. Fortune en rapport. Quant au physique, elle le voulait grand et distingué sans apporter plus de précision. Depuis trois mois, Matrimonia n'avait pas été fichue d'extraire de ses classeurs un mâle répondant à ce portrait. La cliente donnait des signes certains de lassitude. Je devais la « regonfler », lui rendre espoir avant qu'elle ne passât chez un concurrent ou qu'elle ne découvrît par ses propres moyens le mari ad hoc.

Je fus introduit dans un salon meublé de gracieuses bergères, aux lourdes tentures intimes. Quelques instants après mon installation dans ces lieux folâtres, la directrice, ma complice, introduisit la jeune veuve. Présentations. J'eus un choc. La veuve était charmante et appétissante à souhait. Nous fûmes laissés seuls, et commença l'étrange tête-à-tête.

Avec maîtrise, je donnai le *la* d'une aimable conversation à bâtons rompus. Pendant cinq minutes, il fut question de tout, hors elle, moi et le mariage. Mais comme nous brûlions l'une réellement, l'autre facticement de découvrir si nous pourrions former un couple viable, d'adroites incidences nous menèrent dans le vif du sujet.

Elle avait perdu son mari depuis quatre ans. Le

magasin était en gérance. (Donc, de ce côté, je n'avais aucune crainte : je n'aurais jamais à m'atteler à la vente de ses astrakans.) Moi, j'étais veuf également. Ma femme avait été emportée par une courte, implacable et mystérieuse maladie contractée pendant un voyage aux colonies. Elle, c'était un stupide et banal accident de la circulation qui l'avait dépouillée de son mari. Le décès de ma femme m'avait laissé cruellement seul. Elle, parallèlement, avait été très atteinte par son deuil. Très longue à « récupérer ». Mais « la vie reprenait ses droits », « elle devait songer à se recréer un nouveau foyer », « à notre époque, l'existence pour une jeune femme seule était trop pénible ». Je ne pouvais qu'opiner. Moi aussi, je rêvais d'un « univers neuf », « d'une précieuse affection féminine qui seule donnait un sens à la vie ». J'avais besoin « d'êtres à choyer ».

L'ennui, c'était que je me prenais au sérieux. Solitaire et désargenté, cette veuve parée de ses fourrures, nantie de ses six millions, brune, charmante, pleine d'allant, m'attirait violemment. Je me la représentais parfaitement en jeune épousée. Je ne pouvais démériter à ses yeux ! Donc, je dirigeais un cabinet de contentieux, au boulevard Haussmann. Il m'appartenait, cela allait de soi ! (On demande messieurs dynamiques !...) J'avais dans mon cabinet les plus beaux dossiers de France, notamment celui de la Régie Renault.

La veuvette m'écoutait, visiblement alléchée par la beauté de mes dossiers. Imaginerait-elle comme moi, un bureau ou plutôt une suite de bureaux racés, prenant lumière par de larges baies sur le boulevard Haussmann ? Des murs farcis de classeurs gonflés de documents ? Entendait-elle le crépitement de mes Remington ? Voyait-elle ma secrétaire m'appelant : « Monsieur, vous avez Renault sur la deuxième ligne. »

Il était possible qu'elle imaginât, entendît et vît toute cette féerie, mais très certainement, elle ne se représentait pas mes folles cavalcades sur les péniches ni mon accident de travail à Rouen.

Que pensait-elle de moi ? Avais-je des chances d'être classé dans les « possibles » ? Dans son petit crâne charmant, alliait-elle financièrement ses fourrures à mes dossiers ? Envisageait-elle le mariage de ses visons et de mes contentieuses 4 CV ? C'était normal de le penser, tant elle était attentive. J'abandonnai la hauteur de vue de ma vie professionnelle et lui rendis la parole.

Elle me parla d'elle, de son adolescence, de sa santé. Elle était excellente. Toutefois, son point faible, c'était les bronches. Aussi, elle avait horreur du froid. Moi, ses bronches ne m'intéressaient guère ; j'examinais plutôt ce qui les dissimulait, ce qui était devant : la ligne en était charmante.

Je me disais : « C'est tout de même idiot. Si tu

l'avais réellement ce contentieux, au lieu d'être ce pauvre type, tu les lui préserverais peut-être un jour, ses bronches !... »

Puis je jugeai de bon ton de mettre fin à l'entretien. Les devoirs de ma charge m'appelaient !

Mais nous pourrions peut-être nous revoir, parler, bavarder plus longuement, « mieux nous connaître », « découvrir – qui sait ? – des affinités », puisque au fond notre but est identique.

La jolie veuve ne demandait pas mieux.

– Voulez-vous vendredi ? Nous pourrions déjeuner ensemble.

Vendredi prochain donc, au cours d'un déjeuner payé en partie par les mille francs de ma prestation, je la dissuaderais de me voir sous les traits d'un époux. Je sortirais le vice rédhibitoire. J'essayerais de m'en créer un tout à mon honneur ; mais lequel ? Enfin, je torpillerais notre union ! Cela ferait date dans mes carrières insolites car ce serait bien la première fois que je gagnerais mille francs en faisant échouer une affaire.

Je fus ainsi présenté à une dizaine de jeunes femmes que je tins en laisse, le temps nécessaire. La clientèle de Matrimonia était d'une extraordinaire diversité. Je me pliais avec bonne grâce à tous les cas. Véritable caméléon, je prenais des couleurs professionnelles et financières appropriées à mes partis.

Je fus tour à tour marchand de vin pour une crémière ; garagiste à Nantes pour une demoiselle sans profession ; agent de l'E.D.F. pour une modiste ; écrivain pour une professeur de lettres ; conseiller technique pour une secrétaire de rédaction. Mais un jour que j'étais en grande verve, je ne reculai pas devant l'effarement de la jeune et future épousée, fragile et délicate, en me parant du titre de belluaire. Je voyageais perpétuellement, capturais des fauves sur leur terroir, les dressais. Je les vendais aux cirques, domptés et rampants. Le métier était passionnant, mais, évidemment, non exempt de dangers. Je fus aussi, mais une heure seulement, oculiste et, trois fois, agent de change.

Je me livrai à ces badinages durant deux mois. Je dus alors me résoudre à quitter cette brillante carrière de don Juan pour une raison des plus terre à terre. À l'usage, je m'étais rendu compte que la balance commerciale de mon entreprise de figuration était nettement déficitaire. Dans la plupart des cas, mon cachet ne couvrait pas les dépenses auxquelles m'entraînaient mes sorties avec les prétendantes. Je demandai à la directrice de m'ouvrir des crédits spéciaux pour faire face à mes frais de représentation. Le plaignant fut débouté : demande irrecevable ! Dépenses d'apparat absolument superflues ! Les salons de Matrimonia convenaient parfaitement aux duos amoureux. Ils étaient faits « pour ».

Pourquoi ce besoin de « sortir » des fiancées qui ne m'étaient pas destinées ? Est-ce que, par hasard, je ne prenais pas mon rôle trop au sérieux ? J'obéis donc mais me lassai de cette claustration et de mes jongleries de bateleur. Après un dernier rôle d'agent de change – rôle dans lequel j'excellais – j'abandonnai la carrière.

La saison du rut définitivement close, mes mariniers me virent reparaître, serviette au poignet.

Mais cette reprise ne dura guère. Les derniers tisons du feu sacré dont j'avais été possédé n'étaient plus producteurs que de rares escarbilles. J'étais mûr pour une nouvelle activité. Les hasards d'une conversation de bar avec un chef de vente m'orientèrent sur un produit infiniment plus pimenté que tous ses prédécesseurs réunis : j'ai cité le poivre.

Alléché par cette épice, je me rendis au siège de Poivriment qui engageait des représentants. Ma première impression fut bonne ; j'avais atterri dans une firme importante ayant pignon sur rue et tonnes de poivre en sac. Après un entretien de quarante-cinq minutes avec le directeur commercial, je me retrouvai sur le trottoir, paré du titre flatteur de représentant en épices et condiments.

Le directeur m'avait fait entrevoir une carrière aux possibilités illimitées. À l'entendre, à mon âge, je pouvais et devais me constituer rapidement un « portefeuille » dans l'alimentation. À cette première carte d'épices, je pourrais rapidement en adjoindre d'autres. Si je *marchais* bien dans le poivre, rien ne me serait refusé, rien ne serait trop beau pour moi. Les plus belles perspectives me seraient ouvertes : confitures, conserves, biscuits – et qui sait ? – margarine, fleuron de la couronne, afflueraient dans mon portefeuille.

J'étais sorti des bureaux de la société, le sang mis en feu par le poivre. Devant l'avenir inouï qui fondait sur moi, qui, démarrant par cette poudre mirifique, monterait peut-être un jour jusqu'aux vertigineux sommets de l'andouillette, j'étais si frétillant d'allégresse, que j'en arrivais à oublier que mon portefeuille en numéraire était actuellement aussi mince que celui de mes représentations en alimentation.

J'emportais dans mes bagages, en plus d'une petite poivrière en plastique, les rudiments géographiques et culinaires de la nouvelle discipline dans laquelle je venais de me fourvoyer. Je savais maintenant, après l'avoir si longtemps ignoré, que le poivre de Saigon était supérieur à celui de Madagascar, qu'en grains il convenait mieux à la charcuterie que pulvérisé, que le blanc était plus « fort » que le gris et qu'enfin il était tout particulièrement désigné pour les salaisons.

J'emportais aussi une curieuse table de conversion. Pour appâter la gent épicière, pour soutenir et forcer la vente, Poivriment offrait des cadeaux fastueux à sa clientèle. De la lecture de ma table d'équivalence, il ressortait que trente-six poivrières de vingt grammes « valaient » une cafetière six tasses ; quarante-huit, un couvert en argent ; mais cafetières, cuillères et fourchettes n'étaient que le tout-venant, la piétaille d'un bataillon de lots. On accédait rapidement, pour une centaine de poivrières, à bouilloires et couvertures chauffantes. Pour une commande un peu plus forte, la zone heureuse des batteurs-mixers et autres moulins à café vous accueillait. Plus haut encore, à seize douzaines, on percevait les premiers chuintements, le premier coup de sifflet de la Cocotte-Minute sous pression. À deux cent cinquante, les pendules murales électriques venaient s'appliquer d'elles-mêmes à la faïencerie des boutiques. De quatre cents à six cents pièces, on entrait dans la sphère d'influence des aspiro-batteurs et cireuses, et enfin, à la cote 800, s'ouvraient les portières de la voie triomphale, qui, par une merveilleuse ascendance, menait des postes autoradio à la télévision. Ma liste de lots s'arrêtait à l'écran de quarante-trois centimètres, mais il n'était pas insensé d'imaginer qu'en vertu d'une commande de quelques dizaines de milliers de pièces, mes poivriers pussent offrir une Jaguar, voire une Mercedes-Benz carrossée par un grand faiseur.

Le prix des poivrières était évidemment considérablement gonflé, de façon à y inclure la valeur des cadeaux. En définitive, c'étaient les braves et innocentes ménagères qui, en poivrant leur ragoût, se cotisaient bénévolement pour offrir à leur épicier les derniers cris de la technique ménagère.

Comme Poivriment contrôlait pratiquement tout le marché français, il pouvait se permettre ces délicates fantaisies.

Je commençai donc ma tournée des crémiers, charcutiers, épiciers et consorts dans le secteur qui me fut assigné, en l'occurrence le XVIIIe. Mon échantillonnage était si discret, si léger qu'une serviette me devint inutile. Je n'avais dans la poche qu'un petit tube en plastique brillant et translucide qui laissait apparaître ses vingt grammes de poudre.

Pour mon coup d'essai, j'eus la main heureuse. La première épicerie dans laquelle j'entrai était vide de toute clientèle. Détendu, je pus exposer mon affaire tout à mon aise. La marchande était vaguement au courant des générosités de Poivriment mais était ignorante des splendeurs que contenait sa hotte. Très rapidement, il ne fut plus question de mes épices mais seulement de l'examen de ma liste de lots. Non, une cafetière électrique, ça ne l'intéressait pas ; elle en avait une. Je poussais jusqu'à l'aspirateur; elle en possédait un. Je redescendais au fer à repasser. Non. Je poursuivais ma chute: «Un couvert en argent?» Aucun intérêt. Elle avait une magnifique ménagère. Je remontais à la couverture chauffante, passais en coup de vent sur le moulin à café, sautais le batteur-mixer et tombais dans la Cocotte-Minute. Mon épicière m'y rejoignait avec fougue. L'affaire était faite! La cocotte était vendue! Pas même question de son prix! C'était si simple: ça faisait deux cents poivrières!

Un rapide calcul prouvait d'ailleurs péremptoirement que les deux cents poivrières une fois vendues, non seulement la cocotte serait largement payée, mais qu'encore il en résulterait un solide bénéfice en espèces.

Bon de commande signé, je sortis du magasin encore tout ébahi de ce que j'avais réussi. Quoi! j'avais vendu en dix minutes une casserole à pression dont j'ignorais tout, la marque, la forme, la contenance, le prix, les performances, une cocotte que je n'avais jamais vue, dont j'imaginais à peine l'apparence. Et le comble, c'est que l'épicière, elle-même, était aussi ignorante que moi de sa future cocotte. Elle l'avait achetée les yeux fermés. Moi, qui si souvent m'étais encombré de pesants appareils de démonstration, j'étais encore pantois d'être parvenu à cette vente éclair sans avoir à transbahuter une lourde casserole, sans avoir à la présenter, à la retourner sens dessus dessous, à réciter la longue litanie de ses avantages ! Si j'avais vendu une cocotte, pourquoi ne vendrais-je pas un aspirateur ? L'inconcevable devenait possible ! Des représentants rompus à la vente d'appareils ménagers devaient déployer des trésors de faconde pour parvenir à leurs fins. Il leur fallait prendre contact avec la cliente, obtenir un rendez-vous, se rendre sur place avec un gigantesque attirail, se livrer en présence du mari à d'atroces jongleries avec des tuyaux articulés, des raccords, des tubulures étincelantes, faire d'étourdissantes démonstrations de battage, de cirage, de brossage, remettre à neuf, sous des yeux inquisiteurs prêts à les confondre, tapis, tentures, fauteuils ; prouver que leur appareil pouvait devenir séchoir à cheveux, pistolet de peintre ou pulvérisateur. Ils se heurtaient certainement à la concurrence, à des objections de prix, de garantie, de marque. Ils devaient accepter des remises, proposer des paiements différés, ne renâcler devant aucune bassesse pour enlever l'affaire ; et moi, moi pauvre vendeur de poivre, je pourrais, sans peine et sans heurt, gagner le même combat ? Je pourrais vendre un aspirateur inconnu, jamais vu, un aspirateur fantôme ? Le vendre en quelque sorte par contumace ? et cela par le seul prodige du Poivre et du Verbe ? C'était de la prestidigitation.

Rien dans les mains, rien dans les poches ! Si ! mon tube de « gris pulvérisé ». Ma poudre magique. Je détenais la pierre philosophale. Je possédais depuis la veille le pouvoir singulier de transmuer à volonté, par une merveilleuse alchimie, le vil poivre en étincelante Cocotte-Minute ou en vrombissant aspirateur.

Mais en mettant plus profondément la main à la pâte, j'eus une affreuse révélation. Poivriment n'était pas le seul à appliquer le procédé des cadeaux. Et messieurs les épiciers et crémiers, loin de sauter à pieds joints dans les Cocotte-Minute, faisaient fréquemment grise mine devant les présents que, tel l'explorateur, j'apportais pour les amadouer.

Ils étaient trop gâtés, se montraient difficiles, réticents, boudeurs.

– Je changerais bien ma pendule. Elle est comment, la vôtre ? me demandait-on parfois.

Je ne l'avais jamais vue, mais je la décrivais avec un rare bonheur.

– Elle a à peu près cette dimension (mes mains arrondies indiquaient son diamètre probable). Je l'imaginais avec un beau cadran lumineux et le décrétais phosphorescent.

– Elle est émaillée ? – Évidemment qu'elle était émaillée, si tel était le bon plaisir de mon charcutier ! Blanche et émaillée. Je la dotais d'une trotteuse centrale et d'un index rigide pivotant par secousse sur son articulation, je mimais la marche saccadée de cette aiguille surnuméraire.

Fréquemment, je me heurtais à des commerçants d'abord stupéfaits, ensuite soupçonneux, à l'énoncé de la manne que j'étais prêt à déverser dans leur arrière-boutique. Mes propositions leur semblaient trop grandioses pour être désintéressées. Ils y flairaient quelque chose d'insolite, de louche. Je décelais dans leur regard des lueurs de méfiance. Mes offrandes leur paraissaient aussi impures, qu'aux Troyens, celles de leurs ennemis. Il était clair que mes B.O.F., très au fait de l'*Énéide, craignaient les Grecs jusque dans leurs présents.* Et je n'aurais pas été autrement surpris qu'un crémier mal embouché, mais clairvoyant, ameutât tout le quartier en poussant la clameur prophétique : *Timeo Danaos et dona ferentes.*

Les interminables attentes dans les magasins frappaient cette représentation d'un vice rédhibitoire. Par courtoisie, je devais céder le pas à la clientèle, me placer dans les creux. Or, il arrivait fréquemment que le défilé des clientes fût tel que je ne parvenais à creuser mon trou qu'après une invraisemblable patience.

J'entrais. La tenancière était affairée à servir sa cliente.

– Et avec ça, madame ?

– Le camembert est bien fait ? demandait la dame.

La boutiquière ouvrait une, deux, trois, quatre boîtes de camembert, palpait le fromage, le retournait dans son alvéole, le humait, le faisait renifler par l'acheteuse. La cliente se décidait pour le camembert numéro 4, hésitait in extremis, choisissait le 2, tergiversait, flairait le 3, tâtait le 1 et faisant subitement volte-face, commandait deux cents grammes de gruyère et, horreur ! les faisait râper. Moi, j'attendais. Après ça, il lui fallait une salade, une belle, avec un beau cœur, puis des oranges, un kilo, non deux. J'attendais toujours, pesant d'un pied sur l'autre. Je jetais des coups d'œil angoissés sur l'entrée. Des femmes léchaient la vitrine, se penchaient sur des cageots. Si elles entraient, j'étais perdu, jamais mon tour ne viendrait ! Je menais une course contre la montre entre le finale de l'acheteuse présente et l'entrée en lice de la horde qui piétinait le trottoir. Pour calmer ma fébrilité, j'invoquais mon tube magique : « Te transmueras-tu en cireuse, en couverts, en cocotte ? ou demeureras-tu poivre ? »

Quand, à l'ultime « Et avec ça, madame ? », la cliente répondait le fatidique « Ce sera tout », que sa *check-list* était close, que déjà je me sentais prêt à entrer en scène, à ce moment précis, deux fortes commères, hilares et dépenaillées, porteuses de flasques cabas, pénétraient dans le temple. J'assistais une nouvelle fois à la pesée des oranges, à la comédie du camembert, à l'estimation des poireaux. On s'appesantissait sur une marque de confiture. J'apprenais qu'« ils » ne faisaient plus de fraise. Pourquoi ? On ne savait pas. C'était dommage. Elle était si bonne. « Mon mari en réclame sans cesse. » « Ah ! les hommes ! » Ces dames se gaussaient de leurs caprices. Moi, j'attendais toujours. Que faire ? Si je partais, je perdais définitivement le bénéfice de mon énorme patience. Mais si je tenais encore, combien de temps durerait cette épreuve et quel serait son dénouement ?

Quand, enfin, je pouvais sortir mon numéro et que j'annonçais « Poivriment », la marchande poussait des cris d'orfraie. « Du poivre, j'en ai par-dessus la tête ! Qu'est-ce que vous voulez que j'en fasse ? On ne voit plus que ça ! » Je tentais d'expliquer que peu importait le poivre pourvu qu'on eût l'ivresse des offrandes, mais entrait une nouvelle porteuse de cabas et mon effet était brisé.

Dix jours de ce régime eurent raison de mon stoïcisme. Tant pis pour mon portefeuille d'alimentation ! Son éventail ne dépasserait jamais le stade de la première carte : adieu, biscuits, conserves et confiture ! Adieu, margarine et andouillettes ! Peut-être vous achèterai-je un jour, mais jamais ne vous vendrai. Puisqu'il est trop ardu de se sucrer dans le poivre, restons-en là !

C'est au plus fort de l'Âge de l'Épice que je connus un soir un intermède des plus capiteux.

Dans l'attente du fruit de mes transmutations, j'étais arrivé, une fois de plus, à me trouver sans un sou vaillant. Or, à cette époque, fréquentant assidûment Montparnasse et sa faune, j'avais lié nombre de relations parmi les peintres et leurs satellites. Au Dôme, une amie, modèle de son état, me signala que l'Académie avait besoin, pour le soir même, d'un modèle homme. Avant d'avoir pu seulement donner mon accord, elle me présenta, bonne âme, à un professeur de dessin, voisin de table.

– Tenez, voilà un copain qui *veut* poser ce soir.

Je ne pouvais décemment faire la fine bouche. Le professeur prit note de mon nom et me fixa rendez-vous pour le soir même à son cours. Salaire pour deux heures de pose : six cents francs. Je ne me sentais pas très chaud pour ce job et plus l'heure fatale approchait, moins j'avais envie de me rendre à pied d'œuvre. L'idée de poser – nu – me devenait franchement insupportable. Mais le besoin d'argent, ma promesse, la curiosité l'emportèrent sur mes appréhensions, et comme vingt heures sonnaient, je fis mon entrée en classe de dessin.

Une trentaine de garçons et de filles bavardaient gaiement, rassemblés autour de leur maître. Personne ne fit attention à moi. J'allai m'asseoir à l'écart. La salle, au plancher hérissé d'une efflorescence de chevalets et de tabourets, était grande, carrée, haute de plafond. Dessins et moulages s'étaient abattus sur les murs comme une pluie de météorites. Sur leur socle, des colosses de plâtre, bardés de muscles, le torse projeté en avant, s'équilibraient miraculeusement sur d'énormes orteils ; d'autres, accroupis, projetaient des mains implorantes vers le plafond indifférent à leur accablement. À l'heure H, ce serait en cette noble compagnie que je me trouverais nu et désarmé.

Je tentais vainement de lire le journal. Mais, obsédé par l'ouverture de la séance qui approchait, menaçante, je ne parvenais pas à m'évader dans la lecture. Mes yeux dérivaient sans cesse du journal vers une table prise dans le champ de deux projecteurs. Sur ce podium, bientôt illuminé, j'officierais. La représentation mentale que je me faisais de moi-même, debout sur cette table, nu, immobile, la peau éclatante des feux de la rampe, devant garçons et filles, m'épouvantait. Mais trop tard ! J'étais coincé, fait comme un rat. Que diable étais-je allé faire dans cette galère ?

Vint l'instant si redouté où le Maître, l'enrôleur, le négrier, se détacha de ses élèves et marcha vers moi :

– Si vous voulez vous préparer à côté... et il me désigna une porte.

« Me préparer », ô délicieux euphémisme ! Je passai dans une loge minuscule et entamai le numéro de strip-tease prévu. Quand fut achevée mon étrange toilette nuptiale, je m'ordonnai le « Go ! » commandant le saut des paras et poussai la porte.

Pénétrer intégralement nu, dans une salle habitée par trente personnes vêtues de pied en cap, y marcher, s'y mouvoir en affectant une indifférence et un détachement parfaits, s'obliger à avoir un comportement naturel, comme si l'on accomplissait là la chose la plus normale du monde, comme si l'on suivait une espèce de routine, de traintrain quotidien, eh bien ! soyons franc, je ne me serais pas cru capable de pareille prouesse !

Tel un fauve de cirque qui, débouchant dans l'arène, se dirige vers son tabouret, y grimpe et s'y installe, sur un signe de mon dresseur, je mis le cap sur la table et y montai. Or, tandis que je me hissais sur le piédestal illuminé des pleins feux, retentit la voix de mon belluaire :

– Prenez une pose.

Je restai confondu par cet ordre. J'avais imaginé, remâché, presque vécu par avance *la minute de vérité* où, dressé sur le pavois, dépouillé de toute vêture, j'allais faire front à la meute dessinante. Cependant, pas un instant, je n'avais pensé à ce suprême raffinement de devoir trouver par moi-même, de devoir créer, inventer une pose. Il me faudrait donc boire la coupe jusqu'à la lie ? Mais quelle « pose » prendre ? En un éclair, j'entrevis des postures que l'on ne voit que dans les musées, des entremêlements de membres, de poignantes distorsions de bras et de jambes et, à l'opposé de ces férocités, de suaves et mols abandons. Que simuler ? Allais-je être gladiateur, enlever des Sabines, devenir Christ agonisant, lancer le disque ? Ou brandirais-je un invisible javelot ? Que faire ? ramper ? bondir ? m'affaler ? Me tordre dans une lutte exténuante ? Mimer une extase amoureuse ?

Je fis une chose notoirement plus prosaïque. Ou, du moins, je voulus. Je voulus, dernier recours, mettre les mains dans les poches. Las ! Je n'avais plus rien au monde que les splendeurs de ma nudité. Mes mains s'arrêtèrent à mi-cuisses, à la hauteur où, naguère encore, j'avais des poches. Je crispai un peu les doigts pour les immobiliser sur mes jambes ; et comme les regards de l'hydre à cent têtes qui déjà étaient braqués sur moi m'étaient insoutenables, pour y échapper, tête levée, je plongeai les yeux, très haut, très loin et ne fis plus un geste. Les pieds campés sur le podium, lentement je me figeai, me pétrifiai. Sur mon socle, je m'assimilais à mes compagnons de plâtre. Je filais allégrement vers leur somptueux abrutissement.

Cela dura une quinzaine de minutes, après quoi, il me fallut, sur les ordres de mon dompteur, me tourner de trois quarts, fléchir une jambe et, les yeux au plafond, me soutenir la nuque d'un bras replié. Ce fut affreux. J'étais déhanché, en porte-à-faux sur une jambe ; mon bras lentement s'engourdissait. Une douleur intolérable me cassa bientôt la nuque. En quelques minutes, une immense fatigue m'envahit. Ce plafond absurde, que pour gagner ma vie je devais contempler, me donnait la nausée. Roués de coups, mes membres perclus de crampes n'auraient pas été plus douloureux. Figé dans une immobilisation de fakir, je me maudissais d'avoir accepté cette fonction de yogi ! Derrière moi, j'entendais les fusains griffer les feuilles de Canson. À trente exemplaires, leurs tracés immortalisaient ma face postérieure. Le professeur conseillait ses élèves :

– Le dos est mal bâti. Regardez le modèle. Plus de nerf là-dedans !

Pour mon amour-propre, il était très désagréable

que l'on reproduisît incorrectement mes deltoïdes et mon grand dorsal. Je tentais vainement de les faire saillir pour faciliter la tâche de l'élève défaillant.

La troisième pose fut, celle-là, heureusement de tout repos. Je dus m'asseoir sur le podium les bras m'encerclant les genoux. C'était une position de détente, confortable. Elle permettait de rêver. C'en devenait presque agréable. Je serais resté éternellement ainsi, filant lentement vers une vie végétative, le cerveau vidangé de toute pensée. Je m'assoupissais, la nudité voilée par le recroquevillement. Fini l'effroyable porte-à-faux sur une jambe ! Cette fois, ma position était bien assise. J'avais enfin découvert la situation stable de mes rêves ! Je ne l'estimais évidemment pas d'avenir, ma situation, mais elle était d'une stabilité à toute épreuve !

Ces gracieux exercices durèrent deux heures, entrecoupées d'un quart d'heure de repos. Par une étrangeté du métier, c'est durant la pause que je cessai de poser. Mais que faire ? J'attendais, fumant une cigarette, la reprise de mon labeur sans geste.

Pendant la seconde mi-temps, me pliant toujours aux caprices de mon belluaire, je dus, entre autres, au cours d'interminables minutes, mimer une sorte de navigateur en détresse qui, main en visière, dressé sur la pointe des pieds, scrutait infiniment l'horizon... mais ne voyait jamais rien surgir.

Quand j'eus été ainsi, au long de toute une soirée, croqué, esquissé, dessiné sur toutes les coutures, en un mot glorifié par trente mains, je pus enfin descendre de mon piédestal.

Rhabillé, je faisais joyeusement sonner dans ma poche les six cents francs de mon salaire.

Ma nudité avait paré à mon dénuement.

Plus de poivre, pas d'argent. Pour rien au monde, je ne poserais encore. Que faire ? Qu'inventer ? Quelle nouvelle annonce me sauverait temporairement ? Je rôdais, un dimanche après-midi, dans le vieux Montmartre, désœuvré, désemparé, ayant perdu tout espoir d'un jour remonter le courant. À quelle bouée de sauvetage me raccrocher ? Or, le secours me vint cette fois du Ciel, ou du moins de son incarnation temporelle. Place du Tertre, je rencontrai un ami peintre, pur bohème, connaissant sur le bout des doigts l'éventail des expédients qui permettent de vivre à Paris – ou du moins de se maintenir en vie – sans occupation régulière.

Mis au fait de mon désenchantement, il me désigna dans un geste d'offrande la basilique du Sacré-Cœur et me dit :

– Va voir Miraille, il te donnera au moins mille francs.

– Miraille ? Qui est-ce Miraille ?

– C'est Mgr Miraille. Ici au Sacré-Cœur. Il est

assez chic. Si tu vas le voir, c'est mille francs d'assurés. Si tu te défends un peu, ça peut monter jusqu'à quatre ou cinq billets. Mais en tout cas, je te répète, c'est mille francs d'assurés. Vas-y. Le dimanche, il doit être là.

Là-dessus, après avoir répandu la bonne parole, le peintre me serra la main et entra dans un bistro. J'étais fort perplexe. Les dernières pièces de mon encaisse métallique ferraillaient tristement dans ma poche. Les déclarations de l'artiste me cheminaient dans la cervelle, prenaient corps. « ... Mille francs d'assurés... ça peut monter jusqu'à quatre ou cinq billets. » Irai-je ou n'irai-je pas ? J'étais extrêmement embarrassé. L'offre – ou plutôt la demande – était tentante. Mais que ça devait être pénible ! Évidemment mille francs ne se dédaignaient pas. Insensiblement, je me rapprochais de la basilique. Je la toisais, la soupesais ; je tentais d'évaluer ce qu'elle pourrait rendre, de chiffrer ce que je parviendrais à lui faire régurgiter ; « ça pouvait monter jusqu'à quatre ou cinq mille ». Comment m'y prendre ? Comment m'attaquer à ce monstre de pierres ? Comment, une fois dans la place, aborder Mgr Miraille, resplendissant de tout l'éclat de la pompe ? J'étais ignorant des hiérarchies du clergé. Était-ce un évêque, un archevêque, un cardinal ? Comment s'adresser à ces ténors de la chrétienté ? Quelle conversation leur tenir ? Mais si je parvenais jusqu'à ce prélat, tout au bout de mes peines, foisonneraient les magnifiques coupures.

Faucon prêt à fondre sur ma proie, je commençai à décrire par les rues avoisinantes de grands cercles autour de l'édifice. Le courage me venait. Il fallait y aller! «... Mille francs d'assurés; peut-être quatre ou cinq...» Avec la rapidité d'un cerveau électronique, je calculais tout ce que je pourrais entreprendre si ce pactole tombait dans mon escarcelle. Instantanément, je conçus un plan d'emploi de mille francs, un autre de cinq. S'il m'échoit une somme comprise entre ces deux extrêmes, en rognant les ailes du plan de cinq mille, je pourrais encore accomplir de très grands desseins. Donc, c'était vu, pesé, décidé. Je ne pouvais plus faire machine arrière, abandonner des plans financiers aussi grandioses. Il me fallait cet argent. Il était à moi, il m'appartenait. Je n'avais plus qu'à aller le quérir.

Rue du Chevalier-de-la-Barre, je flairai le dos de la paisible carapace, boursouflé d'énormes pustules. J'entamai mentalement le montage d'une pitoyable histoire. «Monseigneur, je viens à vous, parce que... parce que quoi au fait?» Quel serait l'accueil de ce dignitaire? Je préférais ne pas l'imaginer. Monseigneur me poserait-il des questions? Aura-t-il l'outrecuidance de vérifier mes dires, ou m'écoutera-t-il dans un silence religieux? Je m'enfiévrais dans des dialogues imaginaires, discutais pied à pied avec l'ecclésiastique. Dans ma tête fusaient des entrecroisements de « mon père » et de « mon fils ». Il s'y traçait de merveilleuses arabesques. Elles venaient se confondre, se matérialiser dans le filigrane d'un billet de cinq mille francs. Ce radieux étendard de la Banque de France flottait devant mes yeux comme je débouchais sur le parvis. Des nuées de touristes divaguaient. Les escaliers monumentaux en étaient constellés. Ces êtres étranges, incompréhensibles, photographiaient le Sacré-Cœur. Comme j'aurais aimé n'être agité que par leurs paisibles problèmes de distances focales et d'ouverture de diaphragme ! Une dernière fois, je jaugeai la place forte investie. Quelque part au sein de ce fabuleux amoncellement de pierres se lovaient mes bank-notes. Je partais les forcer dans leur tanière. À peine eus-je poussé la porte que le trac me saisit. J'eus envie de faire demi-tour. « Entre ! – me dis-je. Hors de l'Église, point de salut. » J'entrai. J'étais dans la basilique. J'étais sur le terroir de la Sainte Église universelle apostolique et romaine. Où étaient mes billets ? Marchons ! Cherchons dans cette fraîcheur, dans cette musique céleste, le calme qui préside aux grandes entreprises ! Mais j'avais peur. Je tentais de me rassurer. Je me flattais de la voix comme le cavalier son cheval ombrageux. Je puisais réconfort dans les Écritures. « En vérité, je te le dis, ce n'est pas très beau ce que tu fais là, mais que celui qui n'a jamais péché te jette la première pierre. » Personne ne me lapida. Donc, la voie m'était ouverte. Découvrons Miraille, Miraille le Grand, Miraille aux doigts cousus d'or ! Je m'engageai dans une galerie latérale ; je ne savais pas très exactement où aller, où trouver l'ennemi pour le défier en ce combat singulier. Je marchais à pas feutrés, à une lenteur inusitée. Je croisais des escadrilles de visiteurs qui, nez en l'air, se repaissaient de vitraux et de chefs-d'œuvre de l'art sacré. Il fallait bien prendre une attitude. Je faisais comme eux. J'examinais un vitrail, jetais un coup d'œil sur des ex-voto, déchiffrais un plan de la crypte ; j'apprenais par les lettres d'or d'un marbre que la volonté du pape avait décrété cette église, basilique, mais basilique mineure. Pourquoi mineure ? Quelles foudres avait-elle encourues in extremis pour être tenue dans cet état de sujétion, pour subir cette infamante restriction ? Je marquais un temps d'arrêt devant une Vierge, illuminée, cerclée d'étages de cierges tremblotants. Dans la nef, sur leurs chaises basses, des suppliants priaient. Je pénétrais toujours plus profondément, toujours plus avant dans la chair du monstre mineur ; j'étais précédé de mon bel étendard de la Banque de France, m'ouvrant fièrement la voie. À la lettre, je le voyais ; je détaillais les jeunes Grecques portant cornes, conques et tridents ; je le lisais : cinq mille. L'article 139 du code pénal punit des travaux forcés quiconque... ; je vérifiais les trois griffes l'authentifiant : le contrôleur général, le caissier général, le secrétaire général. J'avançais toujours, saluant au passage le tronc des pauvres. Je lisais longuement le panonceau priant les fidèles d'y verser leur obole. « Oh oui ! bons fidèles, versez, versez ! Tronc, gorge-toi d'or ! » À l'entrée du déambulatoire, je croisai un homme vêtu de bleu et de bicorne, les épaules frappées d'argent, portant l'épée, la verge et la hallebarde. Je ne savais s'il était bedeau, suisse ou sacristain, mais il se classait certainement sous un de ces vocables. Il fallait en finir ! « Suisse ou bedeau, interrogeons-le. »

– Puis-je être reçu par Mgr Miraille ?

Le Pourfendeur des Infidèles me demanda si j'étais attendu. Certes non ! Il eût été trop beau que Monseigneur attendît ma visite. Je dis donc au suisse – appelons-le le suisse – qu'hélas Monseigneur ne m'attendait pas, mais que, s'il acceptait de me recevoir sans rendez-vous, je lui en serais infiniment reconnaissant, et à lui suisse, et a fortiori à Monseigneur.

Il ressortit d'une onctueuse interview qu'à l'heure présente Monseigneur disait une messe basse dans la chapelle de l'Enfant Jésus. Je pouvais l'attendre ici même. L'office terminé, il passerait sur ce méridien pour rentrer à la sacristie. Je plantai là mon suisse et me dirigeai vers l'Enfant Jésus. J'étais sur la bonne piste. En ce cénacle, je vis Monseigneur officier. Revêtu de ses plus beaux atours, aube et étole voletant sous la chasuble de drap d'or frappée de sa croix, il m'apparut telle une coccinelle géante. Elle me tournait obstinément le dos, vaquant fermement à son ouvrage. Un ramassis de vieilles filles, quelques sœurs, un jeune abbé – le tout transfiguré, illuminé par la foi – étaient abîmés de solitude. On se levait, on s'asseyait, on génuflexait. Un jeu de sonnailles coordonnait ces mouvements d'ensemble. Je ne savais quelle contenance prendre. Je m'éloignai lentement sur la pointe des pieds et revins au futur point de passage de Monseigneur.

Bientôt, j'entendis sonner une hallebarde sur les dalles. Précédé de son homme d'arme, Monseigneur regagnait son gîte. Mais comment établir le miraculeux contact ? L'étrange cortège, hallebardier en tête, disparut au-delà d'une porte de chêne. J'étais assez décontenancé. Le miracle un instant entrevu me fuyait-il ? Pouvais-je pousser une tête dans cet antre ? Revint le guerrier, qui fort obligeamment me dit :

– Passez par ici – il me désigna la porte –, Monseigneur vous recevra.

Je m'aventurai dans un long couloir plafonné en ogive, lambrissé de chêne et, sur une porte, je lus ce mot prestigieux : sacristie. J'attendis le cœur serré, la gorge nouée. Quelle entreprise ! Comment lui demander pareille chose ? Comment m'engager sur ce terrain miné ? Quand s'ouvrirait la porte, dans quelle fable faudrait-il se jeter à corps perdu ! Comment donner un résumé, un raccourci suffisamment saisissant de mes deux dernières années, pour empoigner la charité chrétienne au cœur ? Mais il fallait réussir ! Courage ! « Mille francs d'assurés, peut-être quatre ou cinq si tu te défends bien », m'avait dit le peintre. Mais c'était un peintre abstrait. Se complaisait-il seulement dans l'abstraction, ou pouvait-il aussi se mouvoir dans le concret ?

La porte s'ouvrit. *Alea jacta est !* Parut une soutane anonyme ; aucun signe distinctif ne révélait la dignité de son porteur. Était-ce lui ? N'allais-je pas narrer en vain ma vie à un quelconque petit curé, un sous-fifre, un sans-grade, dépourvu du pouvoir merveilleux de briser les troncs et d'en répandre la manne ? L'homme avait belle allure, les traits fins, une peau blanche poncée. Un grand racé d'Église. Ce ne pouvait être que lui. C'était Monseigneur lui-même ! Il vint à moi et me demanda très affable :

– Vous désirez me voir, mon ami ? Il me tendit la

main et, gardant la mienne, m'attira doucement dans son repaire.

– Monseigneur, je dois vous parler – ma voix était plus blanche que sa peau. Comment allais-je lui sortir ça ? Il me fit asseoir en face de lui dans un fauteuil de reps. Aucune table ne nous séparait. Nous étions si proches que nos genoux se touchaient. Cette fois, il fallait que je parle. Le finale de mon discours, si tout se passait bien, serait pavoisé de billets de mille. Mais je ne les convoitais même plus, ces effroyables billets. C'était trop ingrat de les gagner comme ça. Cependant, que je les voulusse ou non n'importait plus. L'événement était irréversible. Il se passait ceci, que j'étais reçu dans la basilique du Sacré-Cœur par Mgr Miraille, sur ma demande, de ma propre initiative, que nous étions vis-à-vis, que mes genoux sentaient les siens sous la soutane. Je devais – c'était inéluctable – parler.

– Monseigneur, je suis dans une extrême confusion – et je me tus. Je ne savais pas au juste où j'allais parvenir, mais enfin les premiers mots de l'étrange tête-à-tête étaient sortis. Bien vêtu comme je l'étais, mon interlocuteur devait tout imaginer, sauf que je venais mendier. Ma confusion extrême, il devait vraisemblablement la mettre sur le compte d'un complexe problème de foi qui me torturait. Mes convictions étaient-elles ébranlées ?

Si je continuais à me taire, il allait croire Dieu sait quoi, le pire, peut-être : que je venais chargé de terrifiants péchés, que je me cabrais devant un dogme, que je tombais sous le coup d'une encyclique. Le saint homme pouvait tout craindre, tant je devais paraître suant d'angoisse. Il me tapota la main :

– Parlez, mon ami.

Son ami parla. Son exposé ne fut pas lumineux, mais il s'en dégageait cependant avec certitude qu'il n'avait pas perdu la foi (il lui en fallait même une bonne dose pour croire encore à ces mythiques bank-notes !). Il ne venait demander la rémission d'aucun péché ; il n'était visé par aucune bulle ; aucune excommunication n'allait être fulminée contre lui, ni la mineure ni la majeure. Non, cent fois non ! C'était infiniment plus prosaïque : il était sans travail, sans argent, à bout de ressources et, à la lettre, ne « savait plus à quel saint se vouer ».

Monseigneur se taisait, me scrutait ; il plissait les lèvres, hochait lentement la tête.

– Voilà ma triste histoire ! Que faire ? En tout dernier recours, je suis venu vers vous...

Monseigneur se taisait toujours. Moi aussi. Que pouvais-je ajouter, sinon mettre le point final à ma péroraison par un soupir ?

Alors, je vis un prodige. Monseigneur se leva. Je l'imitai. Monseigneur entrouvrit sa soutane. Monseigneur sortit son portefeuille. Monseigneur l'ouvrit. Moi, j'étais fasciné par son contenu. Je ne pouvais détacher mes yeux des doigts fuselés de Monseigneur, effeuillant les billets. Je dus m'ordonner : « Aie au moins la discrétion de ne pas regarder. » Je me tournai lentement, comme si les occupations de Monseigneur ne me concernaient pas. Mon regard s'évada sur un crucifix ; je suivais les veines du bois ouvragé, avec un intérêt très vif. Mais je percevais, l'oreille aux aguets, sous les doigts de Monseigneur, le froissement des coupures. Combien en extrayait-il ? « Mille francs d'assurés », devrais-je appliquer le plan de détresse d'un unique billet ? « Si tu te défends un peu, ça peut monter à quatre ou cinq », ou pouvais-je tabler sur celui, grandiose, régénérateur, de cinq mille ? J'entendis enfin la voix, l'adorable voix, la voix aphrodisiaque :

– Je vais vous donner une petite aide temporaire, mais je ne peux pas faire plus que de (quand donc viendrait la fin de cette interminable phrase ?) vous donner six mille francs.

Six mille ! j'avais pulvérisé les prévisions de mon peintre. Six mille ! Il faudrait des années pour me ravir pareil record. Six mille ! Ah ! le saint homme ! L'inspiration divine que j'avais eue de divaguer place du Tertre ! Sur ces hauteurs, Dieu avait enfin reconnu les siens.

Je ne me souviens plus de la rupture de contact d'avec mon doux prélat. Tant j'étais heureux, soulagé, sorti sain et sauf de cette entreprise, que je dus me refréner pour ne pas traverser la basilique au pas de course. « Sors lentement ! me disais-je. De la majesté, sois digne dans la fortune. Dieu te contemple ! »

Sur le parvis, j'eus en pleine figure une grande gifle de soleil. Les touristes besognaient toujours à leurs photographies. Ils encageaient dans leur viseur l'édifice magique. Moi je cavalcadais. Je dévalais vers la station de métro. Je planais sur des centaines de marches sans les voir, sans les toucher. J'étais ivre de joie, de succès, délivré, merveilleusement délivré. Je volais, je voyais s'enfuir, défiler sous mes ailes, les massifs, les arbustes. Que ma sacristie était loin quand j'atterris sur le quai d'Anvers !

Or, dans le métro, il se passa ceci : lors de leur remise, j'avais glissé les six coupures dans ma poche. Quand je les sortis pour les ranger dans mon portefeuille, je m'aperçus, les yeux écarquillés par la surprise, que si quatre d'entre elles étaient d'authentiques billets de mille francs, les deux autres, sans contestation possible, n'étaient que de vulgaires billets de cinq cents francs. Il y avait eu maldonne lors de la distribution. Je perdais mille francs ! J'eus un instant la sensation d'avoir été roulé, refait. Pauvre Monseigneur, c'est tout juste si devant ce singulier manque à gagner, je ne t'ai pas accusé de m'avoir floué !

Quelques jours après ce mémorable renflouement, ayant pressuré jusqu'à la moelle mes cinq mille francs, je me retrouvai une fois de plus la quille sur le sable ; mais un immense espoir s'était levé : ce que j'avais réussi une fois était sans doute multipliable à l'infini ou tout au moins par autant de paroisses que comptait la capitale.

Écumeur d'Églises, Pirate de Sacristies, Forban de Presbytères, voilà ce que je devins. Je ne pouvais plus, lors de mes errances dans Paris, voir surgir un clocher, sans me sentir aimanté, attiré, tracté vers le parvis. Rompu aux nefs et aux transepts, je gagnais rapidement la sacristie, demandais à m'entretenir avec « monsieur le curé », lui contais mon gentil fabliau et sortais, lourd de cinq cents, mille ou deux mille francs ; j'accédais parfois, en pointe, jusqu'à trois mille. Je me domiciliais, évidemment pour les besoins de la cause, fictivement dans la paroisse de « monsieur le curé ». Au gré de mes chapelles, j'habitais rue de Londres, avenue du Parc-Montsouris, rue de l'Estrapade, boulevard des Batignolles, près des Halles, en face de l'Observatoire, à côté des Folies Bergère, mais toujours – et c'était le seul point commun de cette infinité de domiciles – « dans une chambre de bonne, mise à ma disposition par un ami compatissant ». J'étais donc un nouveau paroissien installé depuis peu sur l'aire de son église. Il était normal que dans la détresse je me tournasse vers mon curé. « J'étais rentré récemment d'Indochine ou d'Afrique du Nord. » Mon histoire se tenait. D'église en église, je la perfectionnais, la fignolais, l'épurais de toute bavure. Je la présentais nette et propre. Il n'y avait que l'introduction que je conservais, quasi immuable, peut-être en mémoire, ou à la gloire, de ma réussite du Sacré-Cœur. C'était « ma confusion extrême ». Ça, j'y tenais. « Monsieur le curé, vous me voyez dans une confusion extrême. » Je ne m'autorisais qu'une licence : la permutation de l'adjectif et du nom. Pour le clergé, comme pour moi d'ailleurs, la nuance était insaisissable.

Le plan-guide Taride m'était d'un grand secours pour mon planning de travail. Je consultais fréquemment ses pages bleues, judicieusement titrées « Renseignements indispensables ». Entre la rubrique champêtre des jardins et parcs, et celle moins réjouissante des cimetières, s'étalait au long de six pages un répertoire extraordinairement vivifiant : celui des églises, temples, mosquées, synagogues et oratoires de la capitale. La nomenclature en était longue, mais le classement par rites et cultes clarifiait l'étude. Je prisais fort cette lecture saine et édifiante. Un véritable recueil des saintes tables. À mesure de mes progressions, je cochais les maisons visitées, pour tenir mon répertoire à jour. Je décernais mentalement un certain nombre d'étoiles à mes tables, d'après la qualité des mets que l'on m'y servait. Il va sans dire que le Sacré-Cœur s'était classé d'emblée « trois étoiles ».

En une quinzaine, Notre-Dame-des-Champs, le Bon-Pasteur, Saint-Philippe-du-Roule, l'Immaculée-Conception, Notre-Dame-des-Victoires et bien des hauts lieux de la spiritualité me virent débouler sous leurs cintres. Comme un représentant consciencieux, je préparais la veille, plan en main, ma tournée du lendemain. « Voyons, Saint-Joseph-des-Carmes et Saint-Étienne-du-Mont reçoivent le mercredi matin. Je les "ferai" donc demain. Si j'ai fini avant onze heures et demie, je sauterai jusqu'à Saint-Germain-des-Prés. » Mon érudition des choses de la liturgie croissait d'heure en heure. Je connaissais mes églises sur le bout des doigts, marchais en terrain connu jusqu'à la sacristie. J'en savais des dizaines, comparant leur mobilier, l'implantation du décor. Leur ambiance calme, pondérée, un peu triste, soulageait mes nerfs tendus. Dans cette « représentation » d'un nouveau style, la « commission » était immédiate, instantanée, nette de toutes taxes, de toutes retenues. Évidemment, elle était imprévisible. Telle église, qui par sa position dans Paris, le faste de ses cérémonies, l'élégance de ses fidèles, l'accueil de son curé, présageait une levée d'au moins deux mille francs, n'en dégurgitait péniblement que le quart. Par contre, il m'arrivait d'extraire d'une petite église de quartier, modeste et effacée – véritable H.L.M. des lieux saints –, un billet de mille francs, flambant neuf. Aucun critère n'était applicable. On marchait sur des sables mouvants. Les desseins de la Providence étaient réellement impénétrables. Témoin Saint-Sulpice.

Trois fois, j'y courus. La surface bâtie, la hauteur de l'édifice, la somptuosité des lieux, l'ampleur des troncs me firent prévoir, dès ma première visite, une recette intéressante. Le maître de céans recevait les jeudis et samedis matin. Or, un trouble de mémoire m'y porta – deuxième passage – un vendredi. Le sacristain auquel je fis connaître mon désir d'être reçu m'avertit que ce jour était réservé aux réceptions du curé coadjuteur et non de monsieur le curé « mais que si je ne voyais pas d'inconvénient... ». Je ne connaissais pas encore cette variété de curé. Mieux valait combler cette lacune et accepter la proposition du sacristain. Une fois introduit, je ne vis d'ailleurs guère de différence entre un curé coadjuteur et un curé de l'espèce commune. À des yeux non avertis, rien ne les différenciait. Je commençai à narrer mon conte. Dès que le récit eut pris tournure, le coadjuteur m'arrêta :

– Dans votre cas, vous devez voir monsieur le curé. Ce que vous demandez n'entre pas, hélas ! dans mes attributions.

Mais il était fort aimable, le coadjuteur, plein de prévenances, il s'efforçait de me rasséréner. Il m'assura « que monsieur le curé ferait certainement quelque chose pour moi, que je n'avais qu'à revenir le lendemain ». Ce qui tomba ensuite de la bouche de mon interlocuteur fut suprêmement alléchant.

– Monsieur le curé vous aidera certainement...

Il se tut. Il avait l'air de réfléchir, mon bon coadjuteur. Il reprit :

– Nous disposons de ressources... de ressources... (il paraissait inventorier les trésors de Saint-Sulpice)... assez considérables d'ailleurs...

Je buvais du petit-lait. Cet aveu ! Des ressources considérables que l'on jetait ainsi à mes pieds ! Mais le surprenant monologue se poursuivait ; je voguais de surprise en surprise.

– Il vous donnera certainement une aide, une aide très appréciable...

Je déglutissais l'ambroisie. *Une aide appréciable.* Entendre de tels mots ! Quel moment ! Puis, très obligeant, le coadjuteur m'indiqua le mode d'emploi de monsieur le curé. C'était, paraît-il, un grand et noble vieillard, de plus de quatre-vingts ans, affligé d'une forte surdité.

– N'hésitez pas à parler très haut, très fort, sinon il ne vous entendra pas. Et surtout dans l'oreille gauche.

Quand je quittai mon aimable mentor, *ressources, aide appréciable, considérables* tintaient encore joyeusement à mes tympans. Le lendemain, je pris pour la troisième fois le chemin de Saint-Sulpice. J'étais bien décidé à hurler mes déboires dans la trompe d'Eustache gauche du patriarche. J'étais prêt à l'attaque frontale, décisive. Si besoin, j'engagerais toutes mes forces dans la bataille, mais il fallait que la place tombât, que le vieillard sourd vînt à résipiscence. Je ne pouvais guère, sans déchoir, accepter un quatrième dérangement pour une misérable question de gros sous. En marche vers Saint-Sulpice, je m'apprêtais en grondant, au tournoi. « Ah ! ah ! tu disposes de ressources considérables ! On sait tout. Le coadjuteur – ce Judas – t'a trahi ! Inutile de finasser. Je sais que, dans tes cryptes, tu couves un immense trésor. Je t'en ferai rendre gorge. » Ce fut dans ces excellentes positions que j'entrai en lice.

Quand je pris place dans la sacristie, quatre personnes assises sur un banc attendaient. Quatre personnes, soit deux jeunes demoiselles boutonneuses et chapeautées de paille noire, un abbé et une vieille fille outrageusement hors charme, sèche, dure, fétide. Seule, sans doute, une porte nous séparait du bureau du vénérable vieillard car les résonances d'un duo parvenaient très nettement. Une demi-heure de patience et ce fut le tour de l'ensorcelante personne. Après sonnerait mon heure. Pour l'instant, je me divertissais à l'écoute des narrations de la dernière appelée. Elle devait crier comme un putois car je ne manquais pas un mot de son discours. Elle avait été malade; c'était pour cela que monsieur le curé n'avait eu la joie de la voir d'un mois. Présentement, elle était guérie. Elle avait beaucoup prié, beaucoup pensé à monsieur le curé. Elle venait lui présenter ses devoirs. Comment lui-même allait-il? Il était toujours aussi alerte pour son grand âge!

Ces marivaudages durèrent quinze minutes d'horloge. Moi, je pensais – car deux postulants étaient arrivés entre-temps: « C'est affreux! Si tu gueules, ils vont tout entendre; en sortant, il faudra soutenir leurs regards; et si tu ne gueules pas, c'est lui qui ne t'entendra point. Et le secret de la confession, alors? Tant pis, tu gueuleras! »

Derrière la porte, l'entretien courait vers sa fin. La vieille fille prenait congé, faisait ses adieux, dans une floraison de pieuses paroles. Elle minaudait maintenant, la coquette. « Et pour remercier saint Sulpice de m'avoir guérie, je lui ferai un beau cadeau ! » Dans quelle engeance avais-je sombré ! Que pouvait-on offrir à saint Sulpice ? Quoi ? Quoi ? Quoi ? L'esprit renâcle à concevoir le genre, le type, la nature, la forme du cadeau – du beau cadeau – à offrir à saint Sulpice. Il était impossible que ce fût un objet temporel même luxueux, même habillé d'un emballage de grande classe, mais alors, grands dieux, quoi ? Mis en demeure d'agir, quelle gâterie offrirais-je, moi, à saint Sulpice, pour honorer son mérite ? Je n'eus pas le temps de trouver. La porte s'ouvrit. Exit la donneuse d'offrandes. J'entrai. Monsieur le curé, beau vieillard parcheminé, pavoisé d'une blanche toison, m'accueillit, une main tendue, l'autre en cornet à l'oreille.

– Monsieur le curé, je suis dans une confusion extrême...

– Dans quoi ?

J'élevai la voix d'un ton.

– Dans une confusion extrême !

Mais il ne saisissait pas dans quoi – dans quel pétrin – j'étais.

Je dus hausser mon registre au maximum, changer les mots, les déplacer, innover.

– Dans une grande difficulté. *Une grande dif-fi-cul-té.*

Ça y était ! Message capté. Il avait entendu. Si tout l'entretien devait se dérouler dans ces clameurs de forum, j'allais être gâté ! Je simplifiai mon texte à l'extrême, l'épurai de toute rhétorique ; je parlais comme à un enfant, en phrases courtes, bien construites ; de véritables exemples de syntaxe. Un sujet, un verbe, un complément ou un attribut. Bannissons tous les adjectifs, les adverbes, les qui, les que ! Extrayons de notre fable sa quintessence ! Fabriquons une sorte de *Veni, vidi, vici* à l'usage de la mendicité ! Quand je fus parvenu au terme de mon effort grammatical, monsieur le curé me soûla longuement d'une théorie de bons conseils : avais-je été au patronage ? J'aurais « intérêt » à m'y rendre. Je devais avant toute chose voir Mlle Vignolles, une sainte femme. Elle s'occuperait très certainement de moi, me trouverait peut-être du travail. Elle était très dévouée à nos paroissiens. Si j'étais démuni d'argent, je pouvais aller manger au couvent des Sœurs de Sion. Je n'avais qu'à demander sœur Aurore. Je ferais bien également de me rendre, et au plus vite, à la Confrérie Saint-Vincent-de-Paul... Je simulais un très grand intérêt pour ces adresses providentielles. Mon jeu de physionomie essayait de traduire, et ma reconnaissance, et l'aveu de ma légèreté de n'avoir pas couru plus tôt vers ces havres. Dans quelle aberration je m'étais tenu ! C'est vrai, pourquoi n'avais-je pas été, de ma propre initiative, me gaver à la table de sœur Aurore, chercher de l'embauche au patronage ou à la

Confrérie ? Pitoyable paroissien que j'étais ! Je n'en finissais plus de noter des adresses étonnantes, n'existant sur aucun guide Michelin, mais je dérivais loin de mon but. « Cet argent, ce maudit argent, le sortiras-tu enfin de ta soutane, noble et bon vieillard, ou dois-je, toute honte bue, te mettre les points sur les *i* ? N'as-tu pas encore saisi mes ténébreux desseins, ou, les ayant percés, te cabres-tu ? Je sais que tes coffres regorgent d'or. Le coadjuteur me l'a dit. Tu as été vendu. Tu le sais qu'on n'est jamais trahi que par les siens. J'attends ton aide appréciable. Allons, sors ta bourse, généreux patriarche, que je l'apprécie cette aide ! Fais ruisseler tes richesses dans mes mains. »

Il dut enfin y avoir symbiose entre lui et moi, car, une fois de plus, je vis le geste auguste. La soutane s'ouvrit, enfin prête à distiller son nectar. Et monsieur le curé, doyen de Saint-Sulpice, parla :

– Je vais vous donner une petite aide, oh ! bien petite par rapport à vos besoins, vraiment petite...

Était-ce là un trait de modestie du mécène, ou bien l'aide allait-elle être réellement *bien petite* ? Mais il reparlait, modulant tendrement :

– Vous allez voir qu'elle est bien, bien petite...

Et enfin, je vis. Je vis une seule et unique pièce de cent francs déposée dans le creux de ma main. Mais ce présent fut immédiatement corrigé, amélioré, rehaussé, grandi par une deuxième offrande.

– Conservez précieusement ceci.

Et le Crésus disposant d'incalculables ressources vola enfin à mon secours. Il me remit une image. Oh ! pas une image profane, vulgarisée à des milliards d'exemplaires par les presses de l'Imprimerie des billets. Non, celle, salvatrice, de saint Sulpice ; de saint Sulpice qui, enveloppé dans son blanc péplum, le visage irradié par l'auréole, le front illuminé d'une pluie de rayons, me contemplait, narquois.

Par une bizarrerie du destin, ma piété, en constante progression, culmina le dimanche de la Passion. En une matinée, me coulant le long d'un des grands axes ecclésiastiques, je me présentai, tour à tour, à Notre-Dame-de-Lorette, à la Trinité, à Saint-Augustin et, comme midi sonnait, à Saint-Philippe-du-Roule. Dans chacune de ces quatre églises, un prédicateur tonnait en chaire sur un peuple de fidèles. Tandis que je cheminais vers le Coffre, me parvenaient des bribes, des extraits de sermon. Parfois, je m'arrêtais, cloué par l'éloquence religieuse. Surtout si la voix m'était favorable. Dans de belles vibrations elle rappelait, la voix, qu'en ce dimanche de la Passion la paix était sur les hommes de bonne volonté ; qu'ils étaient frères ; qu'ils devaient aimer leur prochain, s'entraider, se soutenir dans l'adversité ; que Dieu nous confondait tous dans le même amour, forts ou faibles, pauvres ou riches ; que les forts devaient épauler les faibles, les riches donner aux pauvres. Je jouissais littéralement de ces ordres. C'était le triomphe assuré à la sacristie ; un véritable chèque. Sûr de mon fait, je reprenais ma marche ; mais qu'entendais-je ? Du haut des voûtes, mon allié de naguère tournait casaque. Les tonitruances m'abandonnaient. Elles fulminaient contre le hideux matérialisme, la recherche effrénée du plaisir, la soif de l'argent et de sa puissance. Mon enthousiasme retombait, mort. Jamais mon chèque ne serait honoré ; je ne pouvais surgir présentement devant monsieur le curé ; il fallait attendre que la voix créditât mon compte, maintenant sans provision. Je patientais. J'attendais le choc en retour du hideux matérialisme. Enfin, renaissaient les mots suaves et salvateurs. À nouveau, nous étions tout amour et charité. Les fonds, un moment gelés, étaient débloqués. Je pouvais bondir à la sacristie.

Ce matin-là, mes trois premières églises me fournirent chacune un petit pécule qui s'en alla grossissant de nef en nef. Seule Saint-Philippe-du-Roule se montra intraitable. Je n'en fus pas affecté démesurément ; aussi ne tenant pas rancune à saint Philippe de sa carence et désireux d'être moi-même, ce jour-là, tout amour, j'eus l'élégance en sortant de verser mon obole dans le tronc sans doute un instant famélique.

Quand j'eus raclé Paris jusqu'à la dernière église, qu'il ne resta plus une seule Sainte-Clotilde, un seul Saint-Leu, où ma main n'eût passé et repassé, il me fallut me rendre à l'évidence : la merveilleuse source de revenus était tarie. Je disposais bien encore de onze églises étrangères détaillées par mes pages bleues, mais je dus, la mort dans l'âme, les laisser improductives. Qu'elles fussent allemandes, anglaises, hollandaises ou lituaniennes, quelles raisons, quels motifs, aurais-je eu, moi Français, d'aller gémir dans le giron d'un ecclésiastique teuton ou balte ? À la suite des étrangères, mon guide répertoriait les églises de rite oriental. À celles-là, j'avais droit. L'aile tutélaire du Vatican les protégeant, je pouvais m'y présenter sans sombrer dans l'hérésie. Hélas ! je lisais vis-à-vis de noms d'églises familiers, des termes inusités qui m'emplissaient d'effroi. Rites maronite ! chaldéen ! melkite ! syriaque ! Comment faire front à cette meute de popes que j'imaginais terribles et barbus ? Comment faire exsuder de leurs chairs maronites ou syriaques les précieuses pépites que je convoitais ?

Un jour, n'y tenant plus, je rassemblai mon courage et mis le cap, dès les aurores, sur Saint-Julien-le-Pauvre. Avec un nom pareil, nous étions du même bord. Cela ne pouvait que grandir mes chances. Je décidai, pour les besoins d'une cause justifiée, de naturaliser ma mère grecque. Aussi mince fût-elle, il me fallait une attache avec les Orientaux. Je choisis donc pour ma mère une nationalité identique à celle du rite pratiqué dans ce sanctuaire. Demi-hellène, j'y prenais droit de cité. Entrons donc ! Essayons de circonvenir au moins un pope, pour nous faire la main ! Extrapolons sur lui les connaissances acquises par une longue pratique des curés. Par référence à mon plan Taride, je savais que Saint-Julien-le-Pauvre était de rite grec-byzantin-melkite. Quelles réactions déclencherait l'ingestion de ce *triple associé* ? À la dose grecque, j'avais trouvé la parade ; pour la melkite, hélas ! je naviguais tous feux éteints, en plein brouillard ; quant à la byzantine, fasse le Ciel que le pope ne nous cherche pas de querelles de ce genre !

Or, il nous en chercha. Je me trouvai face à face avec le colosse aux joues efflorescentes que j'avais pressenti. À peine lui eus-je annoncé la couleur maternelle, qu'une question fusa de sa barbe. « D'où ça ? » me fut-il demandé. Le temps de trouver une ville qui ne fût pas Athènes, car citer précisément la capitale eût été cousu de fil blanc, et de répondre « de Sparte », et le pope soupçonneux sentit une légère hésitation, devina mes mensonges et, en un tournemain, me mit proprement à la porte.

C'était grand dommage, car l'idée était louable

en soi de faire de ma mère, lancée contre son gré dans cette aventure, une Spartiate !

Dès lors, je n'osai plus me frotter à l'Orient.

Il me fallait être réaliste ; je n'avais plus un maravédis à tirer de la catholicité. Si je désirais persévérer dans la course au denier du culte, il était urgent de changer mon fusil d'épaule, de faire le grand saut ; j'allais devoir rejoindre l'autre camp, foncer tête baissée dans le schisme, changer carrément de culte. Nouvel objectif : les temples. Franc-tireur des religions, je m'adaptai aisément aux Églises réformées de France et butinai courageusement de temples en oratoires. Je ne connus guère aventures ou démêlés chez les pasteurs. Gens sérieux et compréhensifs, je les quittais rarement sans emporter, en souvenir de ma visite, un billet de mille francs. C'était le tarif chez les réformés. Il devait y avoir une sorte de barème syndical, d'entente professionnelle.

Lancé dans ce nouveau culte, ce fut un jeu de dilettante de m'adapter aux églises évangéliques luthériennes. Je fis même de fructueux coups de sondage chez les baptistes, de brèves pénétrations sur le territoire des protestants étrangers, poussai une tête chez les quakers, tâtai de la science chrétienne et m'intéressai un instant aux antoinistes. Mais une deuxième fois, je me cassai le nez sur le culte grec orthodoxe. Qu'ils fussent géorgiens, roumains, russes ou grégoriens, la Réforme ne les avait pas assagis. À l'image de leurs confrères catholiques, ils étaient indécrottables.

J'avais donc, au long de trois mois, exploité jusqu'à la dernière veine les deux plus importants gisements religieux du Bassin parisien. Toujours en quête de nouvelles sources d'énergie, je décidai de mettre en taille un troisième filon, celui-là d'importance nettement secondaire, l'israélite.

Mais j'avais trop auguré de sa rentabilité. Trois rabbins visités me dirigèrent vers un organisme spécialisé dans l'aide aux coreligionnaires. Il était inutile d'insister. J'avais affaire à un jeu de l'oie dont chaque coup me ramenait au point de départ. Mais je n'osais m'y rendre de peur qu'on découvrît le pot aux roses.

J'étais donc parvenu au bout de ma tâche. J'avais été plus que muni – comblé ! – des secours de la religion. J'aurais pu, avec la conscience du devoir accompli, tirer fièrement le trait final sous cette étude cultuelle. Hélas ! je connaîtrai toujours l'amertume de l'ouvrage abandonné inachevé sur le métier.

J'aurais tant voulu terminer en apothéose, en exécutant dans le culte musulman la fulgurante incursion dont je rêvais ! Le cœur me manqua. Race, langue, habillement, tout m'aurait trahi. Et de quel turban, de quelle djellaba, de quelles babouches laissées au seuil, aurais-je eu l'audace de me parer, pour descendre, foulant la haute laine de tapis arabes, en la Mosquée de Paris ?

Je ne déplorerai jamais tant les richesses perdues que cette brèche coranique, béante dans mon instruction religieuse. Inch' Allah !

L'âge d'or était révolu. Je devais assurer l'avenir. J'y songeais à une terrasse des Champs-Élysées. Le temps était ensoleillé. Il faisait doux. Passa un vendeur de journaux. Il présentait aux consommateurs le *Journal des aveugles*. Je regardais le gars manœuvrer entre les tables. Son visage ne m'était pas inconnu. Il s'arrêta devant moi, me proposa un exemplaire. Je lui dis :

– Il me semble vous connaître ?

Il me dévisagea, réfléchit :

– Oui, moi aussi ; où c'est qu'on a pu se voir ?

Subitement, il eut une illumination :

– Mais, on a fait les savonnettes ensemble, il y a deux ans !

Effectivement, c'était un des équipiers de mon rude apprentissage. Il déposa sa pile de journaux sur un fauteuil de rotin et s'assit ; nous bavardâmes :

– Alors, toujours au service des aveugles, mon vieux ? Quelle constance !

– Oui, mais ça, c'est champion ! Aucun rapport

avec le savon ; beaucoup moins lourd ; deux ou trois heures de travail par jour, pas plus, et on se fait facilement deux mille, deux mille cinq cents francs.

Je dressai l'oreille. Je commençais à prendre goût à son exposé.

– Qu'est-ce que c'est au juste ? C'est une fédération d'aveugles qui édite ça ?

Il me regarda comme si j'avais proféré une énormité. Comment pouvais-je être à ce point innocent !

– T'es pas fou ? C'est de la frime ! C'est un canard qui baratine sur les aveugles, et c'est marre. Les gens s'imaginent que c'est pour eux, alors ils achètent.

– Combien ça se vend ?

– Soixante et je le paie trente-cinq. Ça me fait vingt-cinq balles par canard. Plus les à-côtés. C'est surtout avec les à-côtés qu'on se défend.

– Quels à-côtés ?

– J'te dis. Les gens y croient que c'est pour les aveugles, alors ils te filent souvent cent balles ; ils te réclament pas la monnaie. T'as parfois des rupins qui te donnent un billet de cinq cents francs. Deux cents, c'est courant. La semaine dernière, un type bourré au Pied de Cochon m'a filé un sac. Et puis, le même canard, si ça se trouve, tu le vends trois, quatre fois. On te le paye et on le prend pas ou bien on te le rend.

Moi, je suis en cheville avec pas mal de garçons. Ils les ramassent et me les refilent. Tu les revends. T'as pigé ?

J'avais effectivement pigé. Un point tout de même me chiffonnait :

– Mais le journal ne verse pas la moindre redevance aux aveugles ?

Mon initiateur explosa :

– T'es louf ! Il verse que dalle ! Pourquoi tu veux qu'il verse quelque chose ? Nous, on ne dit pas que c'est vendu au profit des aveugles – ça nous est même interdit – ce sont les gogos qui se mettent ça dans le crâne !

Je pris un numéro et je jetai un coup d'œil sur les titres : « Les pays scandinaves sont en tête de la formation professionnelle des aveugles » – « La technique de la greffe de la cornée » – « Une visite au centre belge de dressage de chiens guides » – « Un pianiste aveugle : Adrien Akhmarinov » – « La lutte contre le trachome ». En pages 2 et 3, quelques poèmes : « Ô lumière perdue, etc. », des nouvelles, un conte écrit par une jeune fille de dix-sept ans, aveugle de naissance. En page 4, les suites de la une et un mots croisés. Avait-il été élaboré dans la nuit ? rien ne l'indiquait. Les quatre pages étaient émaillées de photographies de « cannes blanches », aux yeux morts ou dissimulés sous des verres fumés.

Évidemment, sur le plan légal, l'affaire était irréprochable. On pouvait parfaitement éditer et mettre en vente un journal intégralement consacré aux aveugles. Libre au public – si tel était son bon plaisir – de se persuader que le produit de la vente était réservé aux infirmes. Après tout, personne n'imagine un seul instant que *France-Soir* distribue aux criminels, aux politiciens ou aux fellaghas, dont les exploits emplissent ses colonnes, les fonds récoltés. Un mensuel spécialisé dans la radio-électricité ou la vie sous-marine partage-t-il ses capitaux entre les électriciens ou les scaphandriers ? Pourquoi dès lors cette confusion pour le *Journal des aveugles* ? Public, tu as tort ! Si on te berne, tu le veux ! Mais, pauvres aveugles, ne déplorez pas trop votre cécité ; si vous saviez quelles louches tractations elle vous cèle !

Moi, ça commençait à m'intéresser prodigieusement :

– Et réellement, tu te fais deux à trois mille francs par jour ?

– Puisque je te le dis. Tu travailles aux heures des repas ou à l'apéritif. Tu vas dans les bistros, les restaurants ou tu fais les terrasses comme ici. Quand t'as vendu cinquante canards, t'as au moins deux mille balles dans la poche. Ça te demande deux heures au plus.

Eh bien ! soyons nets, dans la fresque de mes

métiers, il y avait une lacune. Jamais encore je n'avais vendu de journaux. Cela devait venir tôt ou tard. C'était le moment ou jamais.

– Si ça t'intéresse, reprit mon gars, viens avec moi, je te présenterai au patron. Tu peux commencer demain. Tu verras toi-même.

Rendez-vous fut pris dans un immeuble de la rue d'Abbeville. Présentations furent faites. Je fus adopté d'emblée par le directeur des ventes – qui pouvait être comparé à tout, hormis à saint Vincent de Paul – et ainsi commença une nouvelle carrière. Avant d'être intronisé, j'eus cependant une formalité à accomplir. Une autorisation de la préfecture de Police était nécessaire. Dans un couloir vermoulu et poussiéreux du quai de Gesvres, j'exposai mon projet à travers les perforations d'une vitre, à une ravissante détonnant en cet endroit.

– Pour vendre des journaux, il vous faut un permis de colportage, me dit-elle.

Je ne manquais décidément pas un échelon de mon ascension sociale ! À quel sommet parviendrais-je, si je persévérais ? Je donnai à la ravissante les précisions demandées et fus quelques instants plus tard possesseur d'un Récipissé de Déclaration. Je lus avec surprise que j'avais déclaré « vouloir exercer, en application des articles 18 et 19 (alinéa 2) de la loi du 29 juillet 1881 sur la liberté de la presse, la profession de colporteur ou de distributeur de livres, écrits, journaux, gravures, lithographies et photographies. De laquelle déclaration j'avais requis récépissé, etc., etc. ». Je n'avais rien déclaré de tel ; j'étais ignorant de ces articles 18 et 19, je ne soupçonnais même pas l'existence de l'alinéa 2 et ne m'étais réclamé ni de celui-ci ni de ceux-là. La Préfecture me laissait dans sa mansuétude le choix d'exercer la *« profession »* de colporteur ou celle de distributeur. J'opterais évidemment pour la première. Il me paraissait plus rémunérateur de vendre mes journaux, plutôt que de gracieusement les distribuer. Quant à la gamme de ce que j'avais le droit de colporter en vertu des articles et de l'alinéa, mes ambitions actuelles ne s'élevaient pas encore aux bienheureux sommets de la gravure et de la lithographie. Mais qui sait ce que me réservait l'avenir ? Mon récépissé constellé de tampons gras était signé : le Directeur de la Circulation des Transports et du Commerce. Passe encore le Commerce ! mais quel rôle venaient jouer en cette affaire la Circulation et les Transports ? Toujours est-il que, deux heures plus tard, je me transportais sur mon premier théâtre opérationnel et que peu après je circulais entre les tables de Weber. Le dîner battait son plein. Les salons étaient combles.

Porteur d'une pile de journaux voluptueusement affaissée sur un bras, brandissant un exemplaire, je passai de table en table en marmottant : « *Journal des aveugles,* monsieur ? *Journal des aveugles,* madame ? » Devant chaque table, je marquais un temps d'arrêt. Trois, quatre, cinq tables et toujours rien. On me regardait à peine. Mon compagnon de chaîne des savonnettes en avait-il menti ? Non ; à la sixième, un monsieur opulent, olivâtre, bagué tel un Levantin, assis en face d'une délicieuse jeune femme, plongea la main dans la poche. J'eus le temps de voir miroiter une pièce de cent francs. Il la mit prestement au creux de la main et, d'un pli des lèvres, d'un regard, me fit comprendre que nous étions quittes. La tablée suivante qui avait suivi le manège persévéra dans la voie ouverte par le Levantin, mais, hélas ! attendit la monnaie. Je me débarrassai ainsi rapidement de quatre numéros ; puis il y eut un creux. Un index agité disait « Non ». Après, une ignorance feinte de ma présence. Plus loin, un sec « Merci ». Bientôt la charité, entrecoupée de trous, se remanifesta. Les pièces tombaient à une cadence acceptable.

Je me rendis compte qu'évoluer, encombré de journaux dans des salons gorgés de dîneurs, était un exercice de haute voltige. Il fallait se méfier des chausse-trapes des fauteuils et des dessertes, éviter de couper le sillage des garçons, de heurter le maître d'hôtel. Je me représentais le drame que je déclencherais si, accrochant au passage un chambertin, des flots vineux allaient se déverser sur la moire d'une dîneuse. J'avais faim ; l'estomac sollicité par d'odorants fumets, je mangeais des yeux côtelettes de volaille et noisettes d'agneau. Je mordais dans les beaux fruits des corbeilles. Je me pourléchais de bombes glacées. À des détours de banquette, je me trouvais nez à nez avec de merveilleux et immenses poissons, parés de tous les coloris, bordés de citrons, dormant dans leur linceul de gelée. Penchés sur la desserte, des garçons les cisaillaient avec des précisions de chirurgien. Je m'attendais presque à entendre des commandements semblables à ceux des praticiens : catgut n° 4 – pince hémostatique.

Je déambulai ainsi pendant près de deux heures dans une dizaine de restaurants et de grands cafés de la Madeleine et de l'Opéra. Quand mon dernier numéro fut vendu – j'en avais pris cinquante au départ –, ma poche était distendue par une énorme poignée de mitraille. J'en fis le change dans un bureau de tabac. Cela donna quatre beaux billets de mille. Deux m'appartenaient en nue-propriété. Un des autres était en indivision entre la caisse du journal et moi. C'était parfait.

J'avais commencé à me consacrer à mon apostolat au printemps. Je persévérai jusqu'à l'automne. Tous les jours, aux heures des repas, j'exécutais ma tournée des restaurants ; j'allais y butiner mes pièces. Je changeais fréquemment de quartier. En quelques semaines, j'établis l'infrastructure de divers circuits gastronomiques : Madeleine, Opéra, Palais-Royal ; Montparnasse, Saint-Germain-des-Prés, Quartier latin ; Champs-Élysées, Étoile ; Grands Boulevards, République ; les Quais ; Clichy, Pigalle. Il me fallait changer fréquemment d'itinéraire pour ne pas indisposer les maîtres d'hôtel ou les restaurateurs par des venues trop fréquentes. En quelques semaines, je pris dans chaque quartier mes habitudes. J'avais, tel le porteur d'eau de jadis, mes pratiques.

Merveilleux sésame, mes journaux m'ouvraient les portes les plus sélectionnées de Paris. Lapérouse, Tour d'Argent, Lasserre, Drouant, enseignes célèbres et alléchantes, si je n'ai jamais goûté vos gratins de langoustines Georgette, vos canards au sang, vos casserolettes de filets de sole, vos pannequets soufflés Grand Marnier, vos gigues de chevreuil flambées à l'armagnac, du moins ai-je la consolation de les avoir vus et humés.

Je décrivais de paresseux méandres entre les tables aux nappes constellées de verreries, de cristal, d'argenterie et de fleurs. Sur des chaufferettes flambaient des bananes, agonisaient les bécasses dans les feux de l'armagnac. Des garçons impeccables se déplaçaient dans un silence de feutre sur d'épaisses moquettes, prévenant – imaginant même – les caprices les plus subtils. D'autres, à l'écart, s'affairaient à donner la dernière main à une volaille, à parer un homard thermidor, à fignoler un médaillon, à présenter timbales et terrines. Le maître d'hôtel surveillait son monde, attirant l'attention d'un commis par une moue, quasi muette, des lèvres. Ses bonnes bajoues donnaient confiance. Il s'élançait, Flaminaire à la main, dès que pointait une cigarette. Une fille, belle mais lasse d'errer dans ce luxe, évoluait ceinte de Craven A et de Gitanes. Contemporains de leur poussiéreuse résille, reposaient dans les corbeilles d'osier les saint-estèphe, les vosne-romanée et les châteauneuf-du-pape. Des seaux de vermeil émergeaient les cols humides des meursaults et des gewurztraminers. Les tables-expositions croulaient sous les hors-d'œuvre. Les tourtes de fruits de mer, tapissées d'algues et de lichens, exhalaient des senteurs d'océan.

Mais il fallait me nourrir à mon tour. À peine avais-je fini de lever mon butin dans ce faste que je bondissais affamé chez Roger la Frite. Or, moi qui avais encore dans l'œil des féeries, je pénétrais dans un remugle de cheval, de saucisses et de frites. Des agitations frénétiques secouaient cette mangeoire nuageuse de graisse. Les serveuses, énormes fourmis à la croupe noire, au ventre blanc, harnachées de chaînes et de ficelles arrimant sacoche, carnets et crayon, besognaient durement dans ces gras relents. Elles torchonnaient les tables en poussant de puissantes clameurs : « J'ai deux steaks qui marchent ! J'ai une double saucisse, trois fois ! Deux frites ! Quatre demis et deux rouges ! J'attends mon steak-pâtes ! J'annule une salade ! » Toute la mangeoire était striée de perpétuels va-et-vient, de bras levés implorant pain et vin. La patronne, assise derrière un rempart de carafons de rouge, surveillait ses fourmis, convertissant sur la caisse enregistreuse les cargaisons transportées sur un avant-bras. Des querelles mesquines éclataient à chaque détour du repas. Des hommes en treillis, suant, les jarrets ployés, traversaient la cohue de bout en bout, porteurs d'incroyables piles d'assiettes. Telle était la contraction musculaire de ces athlètes qu'on les suivait des yeux attendant, espérant, quelque fracassant écroulement. Ils se ménageaient une sente dans le tumulte, en haletant : « Chaud devant ! Attention ! Chaud devant ! » Je mangeais mes frites et mon cheval, buvais ma bière, mais je rêvais encore à mes prodigieuses bécasses, à d'impossibles bourgognes.

Je ne négligeais pas pour autant les établissements de deuxième ou troisième ordre, voire le tout-venant, les « prix fixe à trois cent cinquante francs » qui jalonnaient mon chemin d'une rôtisserie à un relais célèbre. Il fallait faire flèche de tout bois. Mais les précieux à-côtés étaient infiniment plus importants dans les restaurants étoilés que dans les

Biard ou les « casse-croûte à tout heure ». Je virevoltais fréquemment aux heures d'apéritif, entre guéridons et fauteuils d'osier des terrasses. Les jours ensoleillés, je passais au crible les Champs-Élysées. Des agglutinations du Marignan, du Français ou du Fouquet's, je soutirais un beau pécule.

Mais quel que fût le quartier de mes ébats, l'établissement ponctionné, sa classe, sa catégorie, que sa clientèle fût vêtue de peignés anglais, de délicates soieries ou de blousons de cuir et de grossières cotonnades, je rencontrais toujours les mêmes grands types humains. Je défilais devant l'étonnant diorama des Assis.

Il y avait les Sensibles. C'étaient en général des femmes corpulentes et molles. D'aussi loin qu'elles voyaient l'étendard des Aveugles, elles me hélaient d'un signe, plongeaient dans leur sac ; tandis qu'elles farfouillaient dans leur bourse, je les entendais s'apitoyer : « Ah ! les aveugles ! Les pauvres gens ! Moi, pour les aveugles, je ne sais pas ce que je ferais... »

Il y avait les Hésitants. Ils allaient par paire ; c'étaient souvent de vieux ménages usés par la cohabitation. Les Hésitants se consultaient du regard.

Monsieur entamait un mouvement vers sa poche ; le suspendait. Dans le même temps, madame avait un embryon de geste vers son sac ; puis se bloquait. L'un et l'autre examinaient le journal ; des yeux ils entamaient un dialogue d'initiés, puis se figeaient. Il me fallait les secouer un rien, pratiquer une sorte de réanimation artificielle : « Un numéro, madame ? soixante francs. » Madame faisait une moue à son mari. Je traduisais : « Qu'en penses-tu, Léon ? On pourrait peut-être ? » Alors, monsieur se décidait. Au moment où sa main voguait vers son gilet, madame enfin devenait ferme, prenait le commandement. « Non, laisse, j'ai de la monnaie. » Mais monsieur se rebiffait, tenait à régler, lui, le journal (en public, c'était plus correct). Madame déposait son sac. Monsieur interminablement se fouillait mais ne mettait au jour la moindre pièce. Il sortait clefs, montre, Gauloises. Madame s'était remise à laper son potage et m'ignorait. Alors, monsieur, grand seigneur : « Nous le prendrons une autre fois. Nous venons ici tous les dimanches. Vous repasserez bien encore ? »

Il y avait les Méfiants. C'étaient des isolés au visage dur et coupant, mangeant pâté de tête ou navarin aux pommes. Ils avaient des gueules à pâlir des journées entières sur des bordereaux ou des états. Ils tentaient de flairer une supercherie, contrôlaient sur le journal le prix annoncé, s'enquéraient « si ça allait bien aux aveugles ». Je confirmais la destination demandée, ne pouvant décemment répondre : « Non, ça va à moi. »

Il y avait les Réprobateurs. Ils me dévisageaient sévèrement. Une légère crispation des lèvres chez les hommes, un infime abaissement des paupières chez les femmes tandis que leur poitrine se soulevait, me laissaient nettement percevoir combien ils réprouvaient la mise en demeure où je les plaçais. « Achète ou tu passeras pour un sans-cœur. » Mais, les Réprobateurs n'étaient pas avares. Passé leurs réactions, ils condescendaient.

Il y avait les Offusqués. Oser les déranger dans leur festin ! Avoir l'insolence de couper leurs envolées verbales ! Le mauvais goût de les troubler avec le spectre des infirmes ! Un arrêt brutal des déglutitions, des couverts reposés, des pincements de lèvres m'indiquaient combien était odieuse ma conduite.

Il y avait les Indifférents. Je les rencontrais par groupe, par tablée de six ou sept, entrelardés d'enfants. Ceux-là ne me voyaient pas. J'avais beau agiter ma bannière sous leurs yeux, ils m'ignoraient, poursuivaient leurs conversations, calottaient les gosses, mangeaient. J'étais absolument invisible et inaudible.

Il y avait les Impassibles. Les Impassibles se recrutaient, dans l'immense majorité des cas, parmi les vieux mâles solitaires. Si je présentais de plein fouet mon journal à un Impassible, il le regardait avec fixité, ne faisait aucun geste. Rien ne trahissait sa pensée. Communiquant des doigts une légère vibration au journal, je « citais » l'Impassible, comme le fait sur l'arène le banderillero pour attirer sur lui le taureau. Peine perdue. L'Impassible ne bronchait pas. Il continuait à mastiquer, à faire fonctionner lourdement ses mandibules. Pas un indice n'aidait à déceler impatience, acceptation ou refus. Pas la plus mince flexion de trait ne présageait l'intention d'un Impassible. À quel moment précis fallait-il rompre l'entretien, lever le siège ? À quoi pouvais-je juger que tout espoir était perdu ? Après un temps d'arrêt devant un Impassible, je reprenais mon cheminement.

Il y avait les Étrangers. Par un bon sourire, un geste des mains ouvertes, ils me signifiaient gentiment que mes offres étaient, pour eux, sanskrit. Ils ne comprenaient rien à mon apostolat. Certes, il y avait des indices. Si je voyais sur une table, le *New York Times* ou le *Neue Illustrierte*, je refluais. Un plan de Paris, un Kodak, des cartes de vue et j'étais sur le qui-vive, car si j'exécutais une belle série, il eût été malvenu de l'aller rompre par un refus.

Il y avait les Hommes de couleur. Avec eux pas de problèmes. Axiome : ils n'achetaient jamais. Qu'ils fussent enfants des rizières, des douars ou des plantations de cannes à sucre, de mémoire de colporteur de livres, écrits, journaux, gravures, lithographies et photographies, on ne vit Homme de couleur se pencher sur les drames oculaires.

Il y avait les Coupables. Ceux qui tout d'abord avaient refusé de verser leur quote-part. Lorsque plusieurs tables environnantes avaient payé la dîme et que je repassais dans leurs eaux, les Coupables m'appelaient d'un signe, faisant miroiter à bout de bras une pièce. Ils s'excusaient à haute voix pour que l'entourage entendît ; ils « n'avaient pas vu que c'était pour les aveugles ». Plein de morgue, je m'avançais vers eux. J'acceptais avec hauteur qu'ils réparassent leur bévue.

Il y avait les Superbes. À peine étais-je dressé devant un Superbe qu'il plongeait dans sa mitraille. « Tenez, monsieur » et, dans un geste impérial, me remettait une giclée de pièces. « Non, non, gardez le journal. »

Il y avait les Discoureuses. C'étaient des femmes espiègles supportant allégrement leur célibat, bavardes comme des pies. « J'achète aussi *leurs* savonnettes et *leurs* brosses. Il faut bien *les* aider. Vous faites ça en dehors de vos occupations, monsieur ? » Je confirmais. « Je vous admire en tout cas, monsieur. C'est très beau de votre part. » Je prenais un air confus et modeste. Je laissais entendre que c'était là chose bien normale, le moins qu'on pût faire pour *eux*. Je quittais ma Discoureuse, sous les ovations.

Il y avait les Couards. Bien qu'ils eussent des traits communs avec les Indifférents et les Impassibles, on ne pouvait cependant les assimiler à ces grands classiques. Comme eux, il était hors de question que le Couard versât sa participation à ma collecte, mais alors que l'Indifférent était sincère, ne prêtait réellement aucune attention à mes manœuvres, alors que l'Impassible faisait front dans une attitude toute de courage et de dignité, soutenant l'attaque mais restant de roc, le Couard, lui, se livrait à une méprisable pantomime. Plutôt que de m'affronter, il se dérobait, s'entêtait ridiculement à ne pas me voir. Monsieur relaçait son soulier, se plongeait *ex abrupto* dans le menu, la carte des vins, ou mieux encore, simulant une soudaine préoccupation, se prenait à pianoter sur la nappe, les yeux en errance au plafond. Espérait-il m'abuser ? Me faire admettre que ses yeux perdus dans les lointains cherchaient la solution d'une énigme qui venait de se poser inopinément ? Pauvre Couard, tu n'y réussissais guère ! Ta défense passive ne me trompait pas. Je savais que le seul problème qui t'agitait était celui de ne pas participer au vaste mouvement de solidarité que je soulevais dans mon sillage. Lors de mes descentes en piqué sur un restaurant, tu dévalais moralement vers l'abri.

Il y avait les Bâfreuses de choucroute. Il va sans dire que les brasseries alsaciennes étaient leur vivier préféré. Là, je m'attaquais à la catégorie poids lourd. Je me faufilais dans un invraisemblable remue-ménage, un tourbillon de garçons à gilet rouge, de fortes serveuses empanachées de la coiffe noire à cocarde. La masse de manœuvre de la clientèle était faite de pesantes et plantureuses dames issues des campagnes, hautes en couleur, bouffies, et superbement dédaigneuses des canons de Fath ou de Dior. Écrasés par la prestance de leurs compagnes, les mâles passaient pratiquement inaperçus. On ne peut guère les citer que pour mémoire. Comme pour les énormes reines pondeuses des termites et leur minuscule roitelet, il n'y avait aucune commune mesure de volume entre ces femmes gonflées des sucs de la choucroute et leurs époux. Elles macéraient dans les banquettes, les creusant de l'opulence de leurs fesses et de jeux de grands sacs à fermeture Éclair. Quels documents nécessaires à un repas enfermaient-elles en ces bagages ? Les roitelets, eux, face aux reines pondeuses, demeuraient cois sur leur chaise. Sur ces terroirs, les femmes détenaient les pouvoirs. Elles seules décidaient avec hardiesse, si oui ou non, il convenait d'inclure dans les frais de la sortie le prix de mon journal. Dans l'ensemble, ce matriarcat compatissait convenablement aux détresses dont j'étais le porte-drapeau, mais il fallait me barder de patience. Lentes à mettre en mouvement, mes Bâfreuses prenaient de longues minutes pour exhumer de leurs impedimenta des porte-monnaie géants. Elles constituaient péniblement l'appoint, examinant chaque pièce sur les deux faces pour éliminer tout risque d'erreur. Tandis qu'elles se livraient à leurs fouilles et à ces vérifications, j'avais le loisir d'admirer, en sautoir sur leur poitrail, le médaillon jauni du précédent roitelet, tombé dans les tranchées d'Argonne.

Ces femmes espiègles et mutines étaient friandes de musique ; j'en rencontrais de nombreux spécimens dans les cafés-concerts, tels Dumesnil à Montparnasse ou Maxéville aux Grands Boulevards. Dès le seuil j'étais accueilli par les flonflons d'un pot-pourri ou d'un «arrangement» du chef d'orchestre. Souvent, c'étaient des formations féminines qui sévissaient dans ces lieux folâtres. Les musiciennes étaient vêtues d'accoutrements bizarres, à tendance nettement folklorique, soit qu'elles voulussent se faire passer pour viennoises, tziganes ou, pis encore, pour cosaques. Entraîné par ces rythmes, j'évoluais, tel le cheval de cirque, à la cadence des violons. Il m'était particulièrement agréable qu'un coup de cymbale ponctuât une vente. Mes Bâfreuses ingéraient cette «zizique», pâmées d'aise. Les mains croisées, elles serraient sur leur ventre leur sac favori. Tant qu'il n'y avait que l'orchestre, je vendais; mais si la chanteuse poussait sa complainte, elle captivait à tel point l'auditoire que la salle entière se muait en un magma d'Indifférents. J'écoutais, ravi, la prima donna quadragénaire: laminée dans un fourreau pailleté d'or et d'argent, elle clabaudait des extraits de *Faust.* Tandis que j'accomplissais mon tour de piste, elle stridulait «qu'elle voulait bien savoir quel était ce jeune homme, si c'est un grand seigneur et comment il se nomme». Conscient de ma coupable industrie, j'en venais à me demander si c'était moi qu'elle désignait ainsi à la vindicte publique.

Il y avait les Véhéments. Cette espèce était, au demeurant, très rare. Un Véhément vous prenait instantanément à partie. Il s'excitait tout seul. Martelant ses mots, il protestait « qu'il voulait bien acheter le journal, qu'il ne demandait pas mieux », « mais que c'était une honte que le gouvernement ne fasse rien pour *eux* ». Le ton montait :

– Vous entendez ? Je n'ai rien après vous, monsieur, mais je tiens à le dire. C'est un scandale ! Moi, monsieur, ma mère est une grande paralysée. Elle ne touche rien. Pas un franc ! Vous croyez que ce n'est pas une honte ? (Il aspirait, comme un soufflet de forge, le *h* de honte.) Quand je pense à ce qu'on verse à la Sécurité sociale ! Des centaines de milliards !

La surexcitation du Véhément plafonnait à son paroxysme. Il m'attaquait de front comme si, moi, j'avais dilapidé ces sommes fabuleuses.

– Qu'est-ce que le gouvernement fout avec ces milliards ? Pourquoi ne fait-il rien pour les aveugles ? Ce n'est pas à nous de casquer ! Ce sont toujours les mêmes.

Je tentais d'endiguer cette juste colère, de faire entendre que je n'étais pas responsable de cet état de choses, que justement je m'efforçais, en récoltant des fonds, de remédier à la carence gouvernementale. Mais en vain. Remonté, le Véhément était intarissable. Je le plantais là et de loin je l'entendais encore maudire le gouvernement, fulminer des anathèmes contre ministres et députés et commenter pour ses voisins le sort de sa mère.

Il y avait les Habitués. C'étaient de vieux garçons, aux visages tristes que je rencontrais inévitablement dans les mêmes restaurants, à la même place, mâchonnant les mêmes haricots, faisant le mots croisés du même journal avec le même crayon. Serviette dans le gilet, ils levaient à mon passage des yeux lourds de lassitude. Je reconnaissais sur la nappe le flacon de pilules dont le niveau baissait.

Il y avait les Vautrés. Je les retrouvais aux soirs de grande chaleur, surtout les dimanches, agglutinés aux terrasses des cafés. Congestionnés de soleil et de bière, ils étaient écroulés dans leur fauteuil. Je lisais parfois dans leurs yeux un semblant d'intérêt pour le *Journal des aveugles*, mais, assommés de fatigue, ils n'avaient plus le courage de faire un geste. À mon approche, ils fermaient les yeux pour dire non.

Il y avait les Amoureux. Ceux-là, je les exécrais. Ils me faisaient mal au cœur. Je ne pouvais que les sauter, les ignorer. À quoi bon leur présenter, comme aux autres Assis, ma feuille, à eux, perdus d'extase, enlacés, les mains soudées, les joues en feu, égarés dans leur coït mental ? Mais quand par inadvertance je surgissais au détour d'une banquette devant des Amoureux, me présentant profils, yeux clos et lèvres jointes, parfois un sursaut les secouait. Le temps d'un éclair était montée la panique du mari vengeur soudain dressé devant eux. Rassérénés, ils replongeaient dans leurs amours.

Il y avait enfin – pour moi, il n'y avait qu'elles ! – il y avait les Adorables. Comme je les aimais, mes Adorables ! Émerveillé, je les découvrais au hasard de mes tribulations, surtout dans les maisons de classe. Mes Adorables étaient de radieuses jeunes femmes parées comme pour des fêtes. Leurs épaules nues, leur cou cerclé de pierreries, leurs poignets étincelants d'or, leurs doigts fuselés, précieux, délicats, maniant couverts d'argent ou porcelaine, m'étreignaient. Elles assises, moi debout les dominant, je prolongeais le tendre, le chaud vallonnement de leur gorge qui tendait les corsages comme des voiles. Quand, après avoir coulé un regard vers mon journal, une Adorable remontait les yeux jusqu'aux miens, je défaillais devant l'immense barrière qui nous séparait. Par quelle magie, quel langage aurais-je pu lui apprendre que nous étions du même bord, que seuls d'infimes cataclysmes m'avaient réduit à cette servitude ? Je les voyais découper par des mouvements précis et précieux, des bribes de mets odorants qu'elles portaient à leurs lèvres. Je les écoutais parler et rire. Leurs yeux s'animaient, devenaient éclatants au service d'un dessert. Le lustre de leur chevelure sertie de conques et de boucles exigeait de mes mains, de mes pauvres mains prisonnières des journaux, d'impossibles caresses. J'aurais tant voulu les chérir, mes Adorables ! Tout nous séparait. J'éprouvais un pincement au cœur, je chavirais de détresse quand fulgurait en moi le regret, le regret interdit, d'avoir à jamais perdu mon Adorable – mon Adorable et son florilège – et d'en être venu depuis lors, de chute en chute, à ces abominables métiers. Quand était trop poignant le serrement de cœur, je me cravachais : « Ta gueule ! Tiens le coup ! Ça reviendra, les jours heureux ! » *Ça reviendra :* c'était mon mirage ; le mirage qui remet debout les assoiffés des déserts et les pousse à marche forcée vers les fontaines et les cascades de leur délire ; le mirage qu'il me fallait pour résister encore ; pour persévérer à espérer ; pour persévérer à me draguer un chenal dans la peine ; pour persévérer à atteindre la nuit, à dormir et à recommencer. *Ça reviendra !* Alors, continue puisque ça reviendra ! Et crois-le, gueule-le que ça reviendra ! Crois-le, gueule-le que ce n'est pas un mirage ; crois-le envers et contre tout, même si tu ne le crois pas ; surtout si tu ne le crois pas. Et ne te laisse pas envahir par la terreur que jamais plus ça ne revienne...

J'avais des ennemis. Racleurs de violon et joueurs de pipeau, gitanes ou vendeurs d'horoscopes. Quand je trouvais un membre de ces sectes installé dans la place, je n'avais plus qu'à faire demi-tour. La courtoisie entre soutireurs l'exigeait. Si d'aventure je me heurtais à quelque austère demoiselle de l'Armée du Salut ou, pis encore, à un couple de bonnes sœurs gonflées de voiles et de cabas, je savais que le quartier avait été écumé. Où étaient passées les cornettes, l'argent ne repoussait plus. Mais je connaissais les jours les plus noirs, lorsque déferlaient sur la ville des nuées de quêteuses, frêles jeunes filles ou femmes au mufle puissant, agitant troncs et piquant aux revers des étendards de papier.

À l'automne, las de mon sacerdoce, j'abandonnai.

J'abandonnai non seulement par lassitude, mais surtout parce que l'imprévisible venait de surgir, bouleversant le cours paisible de mes jours. Un homme de bien, affligé de mes vagabondages, m'avait proposé du travail, mais, chose étrange, un vrai travail, un travail sérieux, un travail durable, un travail d'intérieur, à l'abri de toutes surprises, de tous caprices, de toutes intempéries. En un mot, correcteur d'imprimerie, ou, pour respecter la terminologie, correcteur de labeur. Le métier n'exigeait ni connaissances spéciales ni long apprentissage. Seuls un sens quasi divinatoire de l'orthographe et une attention soutenue étaient impérieusement recommandés. Je me flattai donc de posséder l'un et d'être capable de l'autre. Cette profession peu spectaculaire consiste à lire les épreuves composées par les linotypistes, à dénicher les fautes et à les signaler en marge par des signes conventionnels.

Détecteur de coquilles et de mastics, de lignes

renversées et de mots accidentés, d'inversions et d'omissions de lettres, voilà ce qu'on me proposa de devenir au pied levé. Les palabres autour de mon engagement durèrent quelques jours, que j'employai à m'initier au code des deleatur, des bourdons et autres doublons, à l'emploi du romain et de l'italique, aux finesses des tirets et guillemets, à la distinction entre capitales, grandes et petites.

Et un radieux matin, me parvint la lettre d'engagement. Ça y était donc ! Après vingt-six mois de fortunes diverses, j'avais enfin abouti ! Ce n'était ni un rêve ni un mythe. L'immeuble existait, qui acceptait de m'héberger, et dans lequel demain je travaillerais. Il existait même depuis un sacré bout de temps ! « Imprimerie de la Médecine – Maison fondée en 1803 », avais-je lu, quelques jours plus tôt, à son frontispice. J'en avais donc à jamais fini de ces épuisantes coureries, de mes interminables reptations vers le pain quotidien. Quel kilométrage j'avais parcouru ! Inchiffrable ! Mais demain à huit heures j'exécuterais une entrée triomphale dans le vénérable bâtiment, dans un bureau enfin reconquis après vingt-six mois de piétinement. Je m'assiérais sur une chaise. Je n'en bougerais jusqu'à midi. Je n'aurais rien à vendre, rien à mendier. Toutes les semaines, l'argent accumulé au fil de quarante heures tomberait comme par enchantement ; ce salaire entraînerait dans mon sillage d'éblouissantes séquelles : Sécurité sociale, congés payés, mois double, retraite, pension, assurance. Et ce qu'on exigeait de moi en contrepartie ? Rien. Trois fois rien. Lire. Lire, débusquer quelques fautes et les corriger. Je passai une nuit quasiment blanche tant j'étais fiévreux de prendre mon envol. Dès demain, j'aurai donc recouvré une façade. Je serai ravalé. Je serai Correcteur. Correcteur dans le labeur.

Vint donc l'instant précis où je pénétrai dans le repaire des correcteurs – quel nom donner à ce local ? Il n'était ni très beau, ni très aguichant, ni très propre, « mon bureau ». Mais qu'importe ! Pour y accéder, j'avais dû, escorté d'un guide, manœuvrer dans un dédale de couloirs, monter des marches, en descendre d'autres, tourner, virer, remonter, redescendre, traverser des passerelles surplombant linotypes, rotatives et presses en blanc, courber le dos sous des voûtes, enjamber des marches disjointes, me garder à droite, me garder à gauche. Ce circuit touristique dans le bois vermoulu était jalonné de casses de caractères, de lingots de plomb, de jeux de composteurs. Le sol était jonché de brassées de papiers marqués des empreintes d'innombrables semelles.

Comme il se doit à Paris, si la façade de l'édifice était, au pis-aller, acceptable, les entrailles, elles, étaient sclérosées, percluses de vieillesse. De toute évidence, l'inauguration du bâtiment remontait à un âge intermédiaire entre l'invention par Gutenberg de la presse et l'an 1803, date de la fondation de l'Imprimerie de la Médecine. Des générations d'hommes laborieux avaient pieusement respecté, des caves au faîte, la pensée des bâtisseurs, le goût des ensembliers de l'époque. Hormis les machines, les installations électriques et téléphoniques, tout – poussière comprise – était contemporain de l'année de lancement de ce triste vaisseau.

Le repaire des correcteurs était une construction en planches, une sorte de cabane édifiée dans une encoignure d'un atelier. Ses dimensions avaient été fort judicieusement calculées pour que le cubage d'air permît à trois correcteurs de ne point dépérir trop rapidement. Rien n'atténuait tapage et cliquetis des machines. Un grand pupitre quadriplace usé, poli par des générations de coudes s'appropriait la part du lion sur la surface portante de la cabane.

Quand j'entrai, deux hommes se préparaient au travail, enfilaient des blouses, décapuchonnaient des stylos à bille. Mon guide fit les présentations. Il m'avertit immédiatement qu'un de mes partenaires était sourd, totalement, irrémédiablement sourd. Il cumulait la surdité et les fonctions de « tierceur », c'est-à-dire de chef correcteur. Cet homme sourd était la preuve vivante que, dans le labeur, capacité et incapacité permanentes pouvaient se conjuguer fort harmonieusement. De grosses touffes de poils tapissaient ses oreilles. Si cette végétation luxuriante encombrait également ses conduits auditifs, rien d'étonnant à ce qu'il n'entendît point. L'autre correcteur, Enjolbert, non seulement entendait, mais parlait. Loquace, disert, subtil, paradoxal, tel il m'apparut. Quoique son accueil fût chaleureux, il émanait de son discours une grande pitié pour moi de m'être embarqué dans cette galère, mais, fin manœuvrier, il éluda toute question précise.

Je pris place sur le quadrige. Le tierceur me remit une liasse d'épreuves et la copie dactylographiée. Stylo à la main, j'étais prêt à traquer les fautes, prêt à mon rôle de redresseur de torts, prêt à poursuivre imperturbablement la longue lignée des moines correcteurs besognant sur leurs incunables. Avec un rien d'attention cela devait être enfantin.

Mon épreuve était fort agréablement titrée : LE CONTRÔLE HOMÉOSTASIQUE DANS DIVERSES DYSTROPHIES VITAMINIQUES OU TOXIQUES.

Le sous-titre précisait : HOMÉOSTASIE ET HYPERTHIAMINOSE.

Les responsables signaient : MM. R. SCHELNITZ et M. PERLANT (Paris).

À première vue, cela n'augurait rien de bon quant à mes chances d'entendement du récit qui allait suivre. Mais je n'étais pas là pour comprendre, seulement pour corriger. Je n'avais pas lu dix pages que déjà je perdais pied dans la *chronaxie vestibulaire, les facteurs pathogènes, les syndromes, les apports de thiamine, la déparalysie du jabot*; dix lignes encore, et je m'engloutissais dans une *chronaxie* – non plus *vestibulaire* cette fois – mais *neuromusculaire*, dans *les travaux de Di-Macco, l'axérophtol* et autres *kératoses palpébrales.*

À travers tout le récit, courait, tissait de gracieux entrelacs une certaine C.V. Elle revenait, insistante comme un leitmotiv: plateau de la C.V., abaissement de la C.V., fléchissement de la C.V., C.V. de départ. Qu'était donc cette mystérieuse C.V. qui fluctuait sans cesse, qui faisait montre d'une versatilité de fort mauvais aloi?

Au bout d'une demi-heure, j'étais embourbé dans un fangeux dépotoir. Je ne comprenais pas un traître mot à ma lecture. Aurais-je épluché dans leurs caractères cunéiformes les tablettes d'argile des Mèdes ou des Assyriens, qu'elles eussent peut-être éveillé en moi plus d'échos que cet hermétique dialecte scientifico-médical. Je reconnaissais tout au plus quelques verbes courants: *il apparaît...* ou, *il n'apparaît pas...*, *on constate...* ou, *on ne constate pas...* Je saluais au passage quelques épithètes familières égarées dans ce jargon: *remarquable, intéressant, valable.* Mais ce qui apparaissait ou n'apparaissait pas, ce que MM. R. Schelnitz et M. Perlant

(Paris) avaient ou n'avaient pas constaté, ce qu'ils jugeaient remarquable, peu intéressant, ou simplement valable, tout cela, hélas ! échappait à mon entendement.

Or, il ne s'agissait ni de s'instruire, bien moins encore de se divertir à la lecture de textes un peu lestes, mais de corriger. Ce n'était guère aisé, car qu'il manquât dans ce pathos un, deux ou trois mots, voire un membre de phrase, le sens pour moi n'en était guère altéré ; qu'une virgule eût sauté, qu'un *e* fût dépouillé de son accent, que deux lettres fussent inversées, allez vous y retrouver dans cet araméen du XXe siècle ! Il fallait à défaut d'un fameux flair se référer mot par mot, presque signe par signe à la copie, pour traquer les erreurs du linotypiste. Je ressentais un orgueil bien légitime quand je surprenais un *a* ou un *o* déchapeauté de son accent circonflexe, ou une virgule remplaçant maladroitement un point-virgule. Je châtiais durement les coupables en les biffant d'un trait. En marge, le signe *ad hoc* rétablissait le texte dans sa rigueur. Je commençais à saisir la compassion d'Enjolbert le Disert lors de mon entrée.

Dans la mi-matinée, ayant lu jusqu'au point final l'interminable bibliographie qui avait permis d'élaborer cet ouvrage homéostasique, j'eus fini d'en découdre avec mes chronaxies et ma fantasque C.V. Instantanément le sourd me fit passer à un autre exercice. Cette fois, il y eut très nette amélioration. Comparativement à mes précédentes épreuves, la deuxième série était d'une éblouissante clarté. Il s'agissait d'un pittoresque mémoire sur un œdème des membres inférieurs chez un sujet de quarante-cinq ans – et précisons-le – asthmatique de longue date. Il y avait bien quelques *ondes P* et de méchants axes *Q.R.S. à + 80* qui venaient ombrer ce cristal, mais, dans l'ensemble, je fus pris d'un certain intérêt, voire d'un goût très vif pour cet œdème salvateur.

Quand midi sonna, Enjolbert me proposa de l'accompagner dans son petit restaurant proche de l'imprimerie. En chemin, il me demanda :

– Alors, que pensez-vous de nos modernes Diafoirus ?

– Je pense que, pour ce qui est de gloser, rien n'a changé depuis Molière. Ne m'en demandez pas plus ; je suis abruti par ces quatre heures de lecture. Ce jargon est effarant. On en voit souvent ?

– Si on en voit souvent ? On ne voit que ça ! Presque tous les périodiques, les revues et les journaux médicaux sont édités par l'Imprimerie de la Médecine. *Le Journal d'urologie, La Presse médicale,* les *Mémoires de l'Académie de médecine*, j'en passe et des meilleurs, sont notre lot quotidien.

– Et depuis combien de temps décortiquez-vous ces hiéroglyphes ?

– Depuis trois semaines. C'est le Syndicat des correcteurs qui m'a imposé ce stage dans le labeur. Si je tiens six mois, j'aurai droit à travailler dans la presse. Mais aurai-je cette patience ? Je commence à en douter. Je m'effondre de jour en jour. Saturé de cette science, je suis incapable, sorti de là, de faire quoi que ce soit. Je lisais beaucoup. Je ne lis plus. Je peignais. Je ne peins plus. J'écrivais. Je n'écris plus. Les esculapes et leur jargon ont pompé mes forces.

Nous prîmes place dans le restaurant. Qu'il allait être réconfortant de se nourrir de bonne soupe et non plus de beau langage ! Mais quel coup me portaient les déclarations d'Enjolbert ! Après vingt-six mois de gagne-pain délirants, alors que je croyais être sauvé, c'est ça que je venais de décrocher ? Ce grandiose, ce somptueux empoisonnement de toutes les minutes ?

– Et le sourd, demandai-je, depuis combien de temps est-il là ?

– Vingt-cinq ans !

– Non ? Vous plaisantez ?

– Absolument pas, mon cher, vingt-cinq ans qu'il s'abreuve, se nourrit, se repaît de cette prose ; c'est un cas pathologique. Le plus incroyable, c'est qu'il fait des heures supplémentaires. Il arrive souvent une heure avant nous, part toujours une heure après, travaille les samedis et –

le comble ! – prend des épreuves à domicile, pour meubler ses dimanches. Il est non seulement emmuré dans sa surdité, mais sourd, comme vous et moi, à ce qu'il lit. Il vit dans et de la surdité. Il est l'esclave parfait, l'esclave de la vie, de l'heure, du travail, de l'argent, de sa femme, de sa femme qui certainement le pousse aux heures supplémentaires. Cet homme est le symbole désespérant de tout ce qu'il faut accomplir d'absurde uniquement pour se maintenir en vie, pour durer. Il est l'Homme Puni, l'homme acceptant sa punition, la demandant, courant vers elle, vivant d'elle, par elle et pour elle. Tirer depuis vingt-cinq ans sa pitance de ce galimatias, et cela sans se rebiffer, quelle pitié !

L'heure de coupure était terminée. Finie la bonne soupe, sus au beau langage ! L'après-midi fut interminable. Il fallut atteindre, minute par minute, les reins ceints de fatigue, la tête brisée d'ennui, de bruit et de mauvais air, cinq heures, pour enfin retrouver la rue, l'espace, la liberté. Quel ineffable sentiment de délivrance !

Après une semaine de ce travail de termite, j'avais atteint l'extrême bord de ma patience. À la lettre, je n'en pouvais plus. J'étais hors de moi. Cette littérature m'obsédait à un point inimaginable. Cinq jours durant, je corrigeai les épreuves de la *Société médicale des Hôpitaux de Paris*. Emmuré dans ma cabane, rivé sous le joug avec Enjolbert, je m'étiolais, égaré dans une débilitante ambiance d'hôpital. Obsédé, je ne vivais plus que sous le scialytique des blocs opératoires de la Salpêtrière, de l'Hôtel-Dieu, de Necker ou de Laennec. Je finissais par «jouer le jeu», par prendre une vague teinture de praticien. Avec effarement, je sentais naître en moi un pseudo-chirurgien, supervisant en quelque sorte les opérations relatées. J'endossais des responsabilités qui n'étaient pas miennes, m'attristais de décès qui ne m'étaient pas imputables.

J'avais souvent à me pencher sur des cas particulièrement pénibles, tel celui d'une jeune femme de vingt-neuf ans hospitalisée à Cochin. Elle présentait au niveau D9-D10 une deuxième localisation pottique. Quoique l'état général de la malade fût bon, contrairement à ce qu'un vain peuple pourrait estimer, une localisation pottique à pareil niveau n'a rien de très réjouissant. Elle n'avait cependant aucun antécédent, ni cardiaque ni rénal, tout au plus une légère séquelle de pleurite et autres babioles de cet ordre. L'intervention chirurgicale fut décidée. Une heure avant le début du dépeçage, la malade reçut morphine et atropine. L'opération fut pratiquée en décubitus latéral droit, ce qui me parut on ne peut plus judicieux. Après désarticulation et résection des neuvième et dixième côtes, le foyer pottique fut abordé sans incident, si ce n'est toutefois un saignement des veines intercostales incluses dans la poche fibreuse d'un abcès fongueux dont l'hémostase donna lieu à quelques difficultés. Mais qui peut se flatter d'être à l'abri de ces misères ? À onze heures cinquante, une perfusion intraveineuse fut installée à chaque bras. La tension se stabilisa à 7. Le saignement opératoire était réduit, le sang rouge vif. Pas de sang veineux foncé. L'hématose était excellente, la respiration spontanée d'amplitude normale, le pouls à 70. Le faciès était rose, la mydriase accentuée, comme c'est de règle dans la sous-ganglioplégie. Aucune cyanose périphérique.

Comme il était midi et que, ma foi, hormis cette mydriase accentuée qui, malgré la règle, ne me disait rien de bon, le tableau clinique était, somme toute, rassurant – quoi de mieux en effet qu'une bonne hématose ? – je partis déjeuner, insoucieux de ma malade. Je la savais en bonnes mains. Les perfusions de solution isotonique instillaient goutte à goutte le flux vital dans ses veines.

Or, tandis que je mangeais mon steak de fort bon appétit, que je déchirais « sa tunique musculaire » à belles dents, en devisant gaiement avec Enjolbert des plus récents travaux sur l'exérèse rénale, tandis que nous commentions des cas inattendus de vascularisation, que nous comparions les mérites respectifs de la sonde lisse et de la sonde cannelée, dans le même temps, le drame se jouait à Cochin.

Quand je repris mon labeur à treize heures, la catastrophe m'attendait. Moi, qui avais laissé ma malade avec un bon faciès rose, je la retrouvai livide et comateuse. Je fus rapidement mis au fait : alors que le foyer osseux avait été cureté et les séquestres enlevés, alors qu'il ne restait plus à effectuer que la greffe de comblement – ce qui est l'A.B.C. du métier –, la tension s'était brusquement effondrée à 3. On eut beau relever les membres inférieurs, mettre tête et tronc en déclive, tout fut vain. 25 mg d'éphédrine firent bien remonter la tension artérielle à 11, mais de façon très passagère. Que faire ? La perfusion fut accélérée bien que l'hémorragie ne m'expliquât pas très clairement ce collapsus. Sous le scialytique, la panique semblait régner. Quelqu'un proposa de placer la malade sur le dos. Aussitôt la respiration s'arrêta. L'idée n'était donc pas très fameuse. On aurait mieux fait de laisser cette pauvre femme en décubitus latéral droit. La preuve ? La mydriase – encore elle ! – s'accentua et le faciès se cyanosa. Il était treize heures vingt. Que faire ? mon Dieu, que faire ? Un massage cardiaque ? Et pourquoi pas ? Tentons l'impossible ! Une laparotomie médiane fut exécutée de main de maître et trois minutes plus tard commençait le massage par voie transdiaphragmatique. Dix minutes s'étaient écoulées que les battements n'avaient pas repris. Injections d'adrénaline puis de coramine furent, hélas ! sans effet. L'espoir s'envolait. Mais, avec un peu d'audace, tout pouvait encore être sauvé. Pratiquons une thoracotomie ! C'est notre dernière chance. Et à tant faire, allons-y pour une transfusion pratiquée dans l'artère radiale à la seringue de Jubé ! Mais massages, seringue, décharge électrique, tout fut inutile. Après une heure cinquante d'arrêt cardiaque, le massage fut abandonné. La patiente était morte dans les règles de l'Art. *Requiescat in pace !*

Je n'eus pas le temps de me remettre de cette pénible issue, due vraisemblablement à un banal collapsus cardio-vasculaire que déjà le sourd, en me tendant de nouvelles épreuves, me lança dans une sombre histoire d'occlusion intestinale. Jusqu'à dix-sept heures, je dus naviguer dans des boyaux bouchés à l'émeri. Je rampais de duodénums en jéjunums, de replis en anses, de valvules en glandules. Je me frayais péniblement un chemin dans les ténèbres du canal intestinal. Mon horizon était effroyablement limité. Visibilité nulle. J'étais si bien empêtré dans ces affreux viscères que je n'apercevais aucune issue à ma position. J'avais besoin d'air pur. J'aspirais à de merveilleux sphincters libérateurs. En fait de sphincters, la porte de sortie, en m'évacuant dans la rue, me sauva.

Le lendemain, ça recommença. Et encore le surlendemain. Et tous les jours seraient identiques ? Je passerais donc mes journées entières à lire, à lire comme un forcené ces cathédrales d'incompréhension ? À me consumer, à dépérir d'ennui dans ce bouge ? Je passerais mes journées à me saturer, à m'écœurer de tant de lecture, que j'en avais la nausée, que je n'avais plus le courage de lire un journal tant j'étais épuisé de lecture ? Moi qui aimais lire, j'allais transformer la lecture en bagne ? Non, c'était de la démence. Refaire n'importe quoi, même me remettre au savon, aux calendriers, aux journaux, tout, tout, plutôt que de lire encore ça ! Depuis le matin, l'idée de tout planter là, de foutre le camp loin de ces œsophages, de ces maudites chaînes ganglionnaires, revenait sans cesse, insistante, dominatrice. « Laisse tomber, me disais-je, envoie-les dinguer, ces chirurgiens. Y en a marre maintenant. »

Or, dans l'après-midi, surgit, congestionné d'indignation, le prote :

– Qui c'est qui a corrigé « L'incontinence d'urine post-opératoire » dans le *Journal d'urologie* ?

Cela me disait vaguement quelque chose. La veille, j'avais passé des heures à me débattre dans des vessies transformées en passoires.

– Ça doit être moi, je crois, dis-je, sans grande conviction.

Le prote me fit front.

– Eh bien, c'est beau ! Je vous félicite ! Vous avez laissé passer tous les *l* en italique.

– Les quoi ?

– Les *l* ne sont pas du caractère. La linotype a déconné et vous ne l'avez pas signalé. La page est montée. C'est le typo qui l'a vu par hasard. C'est pas son boulot. C'est le vôtre ! Vous ne pouviez pas faire attention, bon Dieu ? C'est pas la peine d'être correcteur !

– Que voulez-vous, je ne l'ai pas vu ! On ne peut pas tout voir dans cette mélasse. Je ne suis pas un radar, après tout ! ni un compteur Geiger !

La hargne de mon antagoniste monta encore :

– Vous deviez le voir, nom de Dieu, vous êtes payé pour ça !

À cran comme je l'étais, la colère du prote déclencha, libéra la mienne, contenue depuis quatorze jours. D'un seul coup, la bonde sauta :

– Payé ou non pour ça, je me fous de vos *l* en italique, vous entendez ? Je me fous de votre canard d'urologie et de vos incontinences d'urine ! Post-opératoires ou pas, c'est du pareil au même ! J'en ai marre, marre, marre et marre ! Je ne désire qu'une chose : foutre le camp d'ici et ne jamais plus y remettre les pieds ! J'en ai par-dessus la tête de vos chirurgiens, de vos gynécologues, de vos cardiologues, de vos urologues et de tous vos emmerdologues ! Soupé que j'en ai de leurs cortisones, de leurs pylores, de leurs frottis vaginaux et de tout le saint tremblement ! Qu'on me paye et que je foute le camp ! Je ne veux pas devenir cinglé !

Un quart d'heure plus tard, tout compte arrêté et soldé, je caracolais sur le trottoir, libre de toute entrave, libre de tout engagement.

Pendant quelques jours, je réussis, tant j'étais soulagé d'être libéré de mes chaînes, à m'installer, vaille que vaille, dans un semblant de quiétude. Mais je savais la fragilité de ce répit et combien il serait bref. Au loin, je percevais le bruissement, les premiers frémissements des soucis. L'essaim se rassemblait, prêt à l'envol, prêt à me vriller. Je savais que j'avais commis l'irréparable en me faisant chasser de l'imprimerie. Je savais que j'aurais dû m'y cuirasser de patience et m'y accrocher jusqu'à la découverte d'une situation meilleure, comme l'exsangue à son flacon de plasma. Au lieu de cela, j'avais tout rompu. J'avais abandonné la colonne de secours qui me ramenait, sain et sauf, de la détresse. Je retombais plus bas que jamais. « Évidemment, tu périssais d'ennui dans cette foutue imprimerie, mais ce n'était pas une raison ! Tu ne le sais pas encore qu'il faut *primum vivere*, que pour *vivere*, il faut accepter des besognes invraisemblables ? C'est ça ou de monstrueux soucis qui te dévorent vivant. Ils sont fichés dans ta chair comme la larve du sphex dans la chair de la sauterelle paralysée à coups de stylet et, comme elle, ils se développent, mûrissent en toi, ils te dégustent à petit feu. Tu ne peux pas faire un geste. Tu es lentement dégluti. Qu'est-ce que tu préfères ? Macérer dans une paisible médiocrité ou être dévoré vif ? Regarde le sourd, ça fait vingt-cinq ans qu'il tient. Tu vois qu'on peut s'y faire. Et tous les autres, tu crois qu'ils ont toujours un boulot drôle ? Mais ils le font, drôle ou pas ! Le mineur qui rampe dans des viscères d'anthracite pour y gratter son charbon, tu crois peut-être que ça l'amuse, dis ? Et la bonne femme, coiffée du stupide calot, qui poinçonne des millions de tickets de métro, avec pour tout horizon le quai d'en face, ça l'amuse sans doute ? Et la mignonne petite dactylo qui flétrit sa jeunesse à pianoter, pianoter, pianoter comme une hallucinée, des kilomètres de lettres, qui pour elle n'ont pas plus de sens que pour toi les rodomontades médicales, tu crois qu'elle ne préférerait pas faire la belle au soleil ? Et le pauvre type qui passe sa vie, en angle aigu, la tête dans le sable, les fesses de velours en l'air, à repaver les rues, tu crois également que ça l'amuse ? Et la horde innombrable de ceux qui dans les usines font ceci, fabriquent cela, tripotent ça et ça, sans même savoir à quoi ça sert, ni comment ça s'appelle, c'est par passion peut-être qu'ils le font? Tous, tu entends, ça les empoisonne autant que toi! Mais, ils la bouclent. Ils jouent le jeu. Ils le font, leur boulot! *Primum vivere!* D'abord vivre. Après, on verra! Tu ne le sais donc pas encore que pour un qui se plaît dans son travail, qui y trouve la joie, il y en a dix mille qui s'y consument d'ennui et de fatigue? Fallait être celui-là, mon vieux, et non un des dix mille. Maintenant, te voilà une fois de plus sur le pavé; qu'est-ce que tu vas faire? Si tu veux continuer à faire tourner la machine, à faire vivre la bête, à la nourrir, à l'abreuver, à faire face à toutes ses exigences, il va falloir une fois de plus la contraindre à reprendre ses marches, ses démarches, ses gesticulations, la contraindre à reprendre l'ahurissante pantomime à laquelle elle s'est livrée, jour après jour, depuis plus de deux ans, pour fabriquer son foin quotidien. Il va falloir recommencer à extraire du vide, à matérialiser à partir du néant, ce maudit fric. Tu ne pourras jamais. Tu es à bout. Tes nerfs craquent de toutes parts... Pitié, mes soucis, pitié, laissez-moi quelques jours de répit. J'ai tant besoin de faire relâche. J'avance dans la vie comme un vaisseau démâté, fissuré de proue en poupe. Je fais eau de tous les bords. J'ai tant besoin de reposer en cale sèche, loin de la haute mer et de ses périls. J'ai tant besoin d'être caréné à neuf.»

Jusqu'à mon dernier franc, je réussis à me protéger d'œillères, à me maintenir dans les artifices de l'euphorie. Mais je savais, je le savais, que je fonçais vers le drame, comme foncent sur la luisance de leurs rails, inconscients de l'aiguillage bloqué, les grands rapides aveugles. Je percevais de plus en plus nettement l'incessante agitation des soucis, bardés de dards et de lames, préparant leur sortie massive hors du camp retranché où je les maintenais. Je savais, je le savais, que, lorsqu'ils se rueraient dans la place, tout serait perdu. Sous le nombre, je serais débordé. J'en avais trop fait, trop vu, trop subi. C'est une question de résistance à la torsion. La vie m'avait tordu comme une serpillière. Toutes les fibres claquaient, sautaient l'une après l'autre. La grande déchirure s'annonçait. Le parachute se mettait en torche. Il y avait eu trop d'échecs, trop d'espoirs, trop d'humiliations. On avait résisté comme on avait pu, avec les moyens du bord, à coups de fierté, d'insolence, de morgue, d'ironie. Mais, un jour, une grande lassitude vous envahit. La dose de patience est épuisée. La poche d'acharnement est crevée. Elle pend flasque, vide, inutile. Il faut s'en délester, s'alléger pour remonter un peu. Mais on retombe vite. Il n'y a plus rien à faire. Il faut se résigner à hisser le pavillon noir des désastres ou le drapeau blanc de la reddition.

« Laissez-moi quelques heures encore, mes soucis ! Laissez-moi reprendre haleine. Laissez-moi une nuit, encore une nuit. Laissez-moi dormir. Demain, je vous ouvrirai toutes grandes les portes de la cité. Nous ferons un baroud d'honneur, mais, d'ores et déjà, vous êtes vainqueurs. »

À coups de somnifère, la trêve de la dernière nuit fut respectée. Au réveil, la meute haletante, innombrable, était là. La meute, l'horrible meute, la meute grouillante, la meute qui avait piétiné une nuit entière comme une armée de termites, jaillissait, illimitée, m'enserrait, montait à l'assaut. « Ta chambre, comment la paieras-tu ? Où coucheras-tu si ton taulier te fout dehors ? Ta nourriture ? Ton linge ? Tes dettes ? Tes créanciers ? – Je me remettrai au savon. – Mais non ! Tu ne le feras pas ; tu n'auras plus le courage de gravir les étages, de sonner aux portes, de parler, d'expliquer, de sourire. Tes nerfs te trahiront. – Je revendrai des journaux. – Allons, les journaux ! Tu te vois redéfilant devant ton diorama d'Assis, reprenant ta chasse aux Sensibles, aux Coupables, aux Réprobateurs ? Et les yeux des Adorables, tu les supporterais encore, dis, sans t'écrouler ? – J'irai taper les curés. – Jamais ! Le cœur te manquera ! Souviens-toi à quel supplice tu te soumettais quand tu t'obligeais, te forçais à pénétrer dans les sacristies. Tu souffrais comme une bête. Être toujours celui qui demande et jamais celui qui donne ! Après, tu étais délivré, alors tu rigolais ; mais avant ! Souviens-toi, avant ! Souviens-toi, tu disais : “Je suis le fantassin du dénuement. L’argent et ses pouvoirs sont en face. J’attaque. Je quitte la tranchée. J’enfile les parallèles de départ. Je monte en première ligne. Je me catapulte hors du boyau.” Tu te soûlais de mots pour t’anesthésier. Rappelle-toi ces attentes dans les sacristies. Rappelle-toi le moment où le curé venait vers toi avec sa bonne face accueillante. Et rappelle-toi, n’oublie jamais, ta marche derrière lui, ta marche vers son bureau, ta marche vers ce que tu appelais le Coffre. Sur quoi marchais-tu au juste ? Tu avais les jambes si molles que tu n’avais plus de jambes. Tu avançais sur des guenilles. Pour faire ça tranquillement, il faut être un salaud. Le handicap pour toi, c’est que tu n’es pas un salaud. Tout le monde croit que tu es un salaud, parce que ta vie s’est imbriquée de telle façon que, pour survivre, tu dois te conduire comme si tu en étais un. Mais tu n’en es pas un. C’est regrettable. Salaud, tu te serais peut-être mieux défendu dans la vie. N’y va plus, tu entends, chez les curés. D’ailleurs tu n’iras pas. Tu n’en peux plus. Tu es sur les genoux. Tu es hors jeu. »

Mais que faire, que faire, que faire ? Il ne reste donc rien, plus rien ? Seulement recommencer, encore et sans cesse, cet odieux et quotidien épluchage des annonces avec l’espoir insensé d’extraire une perle de ce fatras ? Recommencer encore et sans cesse la rédaction rebutante des curriculum vitae expédiés à des fantômes ? Et comment y expliquer, comment meubler ce trou, ce trou béant de vingt-six mois sans emploi, sans occupation, sans certificat ? Ou alors accepter des travaux effarants ? Manœuvre ! Manœuvrer dans des cours d'usines, des poutrelles, de la ferraille, des brouettes ? Faire la plonge ? « Fais n'importe quoi, innove, trouve l'introuvable, mais aie pitié de toi, ne reprends plus, un par un, chacun des articles du cycle qui t'a raclé jusqu'à l'os. Ne le fais pas. Tu n'en peux plus. Tu es trop éprouvé. La cote d'alerte de la résistance est dépassée. Tu n'es pas fait pour ça. Personne n'est fait pour des choses pareilles. Dieu n'a pas construit l'homme pour qu'il se dégrade ainsi. S'il le savait, il ne le tolérerait pas. C'est ignoble de leur demander ça, aux hommes. Ceux qui ont inventé ces bagnes pour leurs frères devraient être mis à mort ; ceux qui s'y soumettent aussi, pour les châtier de leur acceptation. »

Mais, alors, qu'espérer encore ? En quel miracle croire ? Sur quelle chance miser ? Le secours viendra-t-il d'un horizon inattendu ou ne viendra-t-il jamais ? Et s'il devait venir, comment le guetter ? Comment être perpétuellement sur la brèche ? Dans ce désert, aux créneaux de quelle tour placer mon espérance en vigie, afin qu'elle m'alerte si, miraculeusement, surgit la dernière chance ? Mais si nous l'édifions, cette tour, si tu montes aux créneaux, veille, mon espérance ! Je t'implorerai sans relâche, comme jadis, sœur Anne, l'épouse terrorisée de Barbe-Bleue. Je t'implorerai jusqu'à l'arrivée des beaux cavaliers étincelants d'armures. Surtout, si tu les vois, fais-leur signe, tant que tu peux, de se hâter. Mais s'ils ne comprenaient pas tes signes ? Ou si se refusant à rompre leurs chevaux sous les éperons, ils arrivaient trop tard ?... Et s'ils ne venaient jamais ?

Anne, ma sœur Anne, ne vois-tu rien venir ?

Et la sœur Anne répondait : Je ne vois rien que le soleil qui poudroie et l'herbe qui verdoie.

Anne, ma sœur Anne...

Août 1956.

FIN.

Ce 94e titre du Dilettante a été
achevé d'imprimer le 5 janvier 1996
par l'Imprimerie Floch à Mayenne
(Mayenne).

DÉPÔT LÉGAL : 1er TRIMESTRE 1996.
(38811)

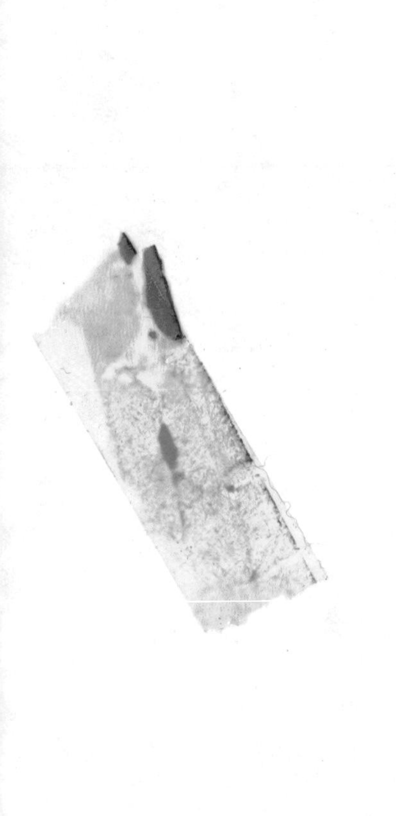